LÈVE-TOI ET MARCHE

ŒUVRES DE HERVÉ BAZIN

Aux Editions Bernard Grasset :

LES REZEAU :

1. VIPÈRE AU POING, roman.
2. LA MORT DU PETIT CHEVAL, roman

LA TÊTE CONTRE LES MURS, roman.
LE BUREAU DES MARIAGES, nouvelles.
LÈVE-TOI ET MARCHE, roman
L'HUILE SUR LE FEU, roman
QUI J'OSE AIMER, roman.

Parus dans Le Livre de Poche :

VIPÈRE AU POING
LA MORT DU PETIT CHEVAL.
LA TÊTE CONTRE LES MURS.
L'HUILE SUR LE FEU.
QUI J'OSE AIMER.

HERVÉ BAZIN

Lève-toi et marche

ROMAN

BERNARD GRASSET

RÉCIT DE CONSTANCE

I

ET allez donc les manivelles! A quoi bon regarder derrière soi... Une fille, à plus forte raison une fille infirme, a toujours priorité. Je tourne. Au bout du pont de Charenton, je tourne. Je penche sur le côté comme je faisais naguère sur mon vélo, et je vous réussis un virage bien sec qui me lance sur le quai d'Alfort. Bruiteur obstiné, le barrage à claire-voie de l'écluse enfonce dans le courant ses cinquante-six potelets rouillés. Je dis bien cinquante-six : quand j'étais gosse, je les recomptais chaque semaine. De larges masses d'eau se renversent, se divisent comme la terre entre les socs multiples d'une charrue américaine, étirent vers l'aval des sillons d'écume. En amont, au contraire, cette bonne vieille Marne miroite vaguement, mollasse, gênée par ces feuilles et ces ombres de nuages qui font ressembler les rivières de septembre au tain pustuleux des glaces d'hôtel.

Le quai est presque désert. Un excès de papier gras et de journaux chiffonnés rappelle seulement que la veille, comme tous les dimanches, y ont déambulé des centaines de dactylos accrochées au bras des aides-comptables qui les menaient vers les guinguettes, les canots ou les fourrés des îles. A plus de cent mètres on ne voit personne sur la chaussée, sauf deux sinueux et nonchalants cyclistes juchés sur ces tout-en-dural à petits boyaux et guidons en cornes de bélier qui sont l'honneur des petits gars de banlieue. Ils avancent à la papa, le torse perpendiculaire à la selle, une main sur l'écrou de la fourche et l'autre en l'air, éloquente, passionnée, commentant le dernier match de rugby. Agacée par leur lenteur, j'accélère, je les rattrape, j'allonge le bras pour leur expédier un aigre coin-coin, un coup de trompe si impératif qu'ils sont persuadés d'avoir affaire à une auto. Les voilà qui se jettent sur leurs poignées et font un piteux crochet vers le trottoir. Mais en apercevant cette fille, bien assise dans sa petite voiture et qui double d'un air candide, le plus âgé fait le gros dos et torture ses cale-pieds nickelés. Je l'entends grogner :

— Culotté, ce mal de Pott!

Un sprint rageur, scandé à grands coups de talons, l'emporte parmi les nids de poule, tandis que son équipier me dévisage d'un air sidéré. Désolée de ne pas avoir de moteur auxiliaire, je m'acharne sur mes manivelles. Je me tiens si droite dans ma robe blanche où mes seins sautent avec entrain, j'ai tant de rose aux pommettes et mes jambes nues, bien croisées (je les mets en place, soigneusement, avant le départ), donnent une telle impression de santé que le petit jeune homme croit flairer une supercherie :

— Je vois ce que c'est, crie-t-il. On s'amuse avec la bancaline de papa!

A son tour de filer, tanguant et soufflant, le derrière haut, le nez en étrave. Ne répondons pas. N'accordons même pas un regard à son chandail écussonné. D'ailleurs je m'essouffle et il va bien falloir ralentir. Ralentir seulement, car je ne m'arrêterai pour rien au monde : je suis encore assez sotte pour croire à la « mauvaise volonté » de mes muscles et pour sourire quand je n'en ai pas envie. Sourions donc. Du côté droit seulement. C'est une convention passée avec moi-même, un tic, un rite. L'autre moitié de mon visage ne doit pas sourire pour les mêmes motifs.

Sourions et passons la langue sur ces lèvres gercées, un peu violettes, que Mathilde assure être couleur de fraise gâtée. Puis que cette langue rentre dans sa bouche et qu'elle continue à s'y agiter, bravement, poussant entre les dents le fredon réglementaire : *T'en fais pas, la Marie, tu-tu-tu!... T'en fais pas, tu, tu, tu, tututu...* La rengaine faiblit très vite parce que je vais passer, parce qu'il faut passer devant l'ancienne maison, devant la maison de cette petite Constance Orglaise, qui avait des parents et des jambes. Pourtant je ne la regarde pas, je tourne la tête de l'autre côté, je sais seulement qu'elle est là, je donnerais l'emplacement à dix centimètres près, sans voir. Fredonnons, fredonnons. Chantons presque. Pourquoi faut-il que je me vante, pourquoi faut-il que mes fausses notes cèdent la place à ce lambeau de phrase :

— ... Seraient bien épatés, mes types, si dans cinq minutes...

En fait de minutes, il m'en faudra bien une vingtaine pour atteindre l'endroit où je dois « épater ». Disons plutôt : où je dois m'épater moi-même, car j'ai justement choisi mon coin de berge pour être à l'abri de toute question, de toute curiosité et surtout de toute intervention. Quel établissement de bains, je vous le demande, laisserait une infirme tenter sa chance du haut de son plongeoir? Quel maître nageur pourrait comprendre ses intentions, secrètes comme des amandes et, comme elles, amères? Comment lui expliquer qu'il ne s'agit pas là d'une folie spectaculaire, ni d'un record imbécile, ni d'une variété de suicide, mais simplement d'un dangereux réconfort, d'une expérience intermédiaire entre le bain d'eau de Lourdes et le bain d'Achille?

Tututu... Je sifflote maintenant. Discrètement. Je tourne plus lentement les manivelles. J'ai l'impression qu'un excès de vigueur paraîtrait suspect aux passants, pourtant de plus en plus rares et qui seront bien incapables de m'apercevoir quand j'aurai descendu les marches de l'autre côté du parapet. Oui, descendu les marches. Pour me foutre à l'eau. A l'eau. A ce qui s'appelle : l'eau, c'est-à-dire dans un trou bien connu pour sa profondeur et où je n'aurai aucune chance d'avoir pied. C'est extravagant, ridicule. Il est sans importance que cela puisse paraître extravagant. Il est plus ennuyeux que cela soit ridicule. Mais tant pis, car c'est aussi nécessaire! Du reste, je n'ai pas l'habitude de me céder au dernier moment, de revenir sur mes décisions, même discutables. Or, cette décision, voilà des semaines que je la remâche. L'occasion est trop belle. Il n'est pas si facile de tromper la sollicitude acharnée de Mathilde, qui n'abandonne sa machine à écrire qu'une fois par mois pour aller se réapprovisionner en carbone et en papier pelure. Il est encore plus rare de pouvoir semer le barbouilleur, le doux, le sempiternel, le décourageant Milandre.

Celui-là... Par prudence, regardons de tous côtés... Celui-là, parce qu'il est à la fois mon petit-cousin et mon ami d'enfance, parce qu'il reste amoureux des seize ans et des jambes que je n'ai plus, il se croit des droits sur moi. Je ne suis jamais sûre d'éviter ses fidèles intuitions, d'échapper à son guet patient et flâneur. Il est comme le pissenlit, il repousse entre les pavés, il dresse à l'improviste sa tête ronde dont les cheveux s'effilochent au vent. Cette fois pourtant, il semble bien distancé. Le quai d'Alfort, la rue des Deux-Moulins sont déjà derrière moi. Voici l'Ondine. Ne nous souvenons pas d'avoir été l'une de ses meilleures nageuses. Voici l'île de Charentonneau, parallèle à l'avenue Foch. Pas un chat sous les tonnelles. Une grande chemise de nuit et trois petites culottes roses, sournoisement pincées par leurs épingles à linge, sèchent sur un fil de fer tendu entre deux platanes. L'eau stagne, apparemment immobile, plate, estampillée de nénuphars. Côté terre, sévit le garde-à-vous des pavillons. Le décor n'inspire pas l'héroïsme. Seul le ciel, sec, à peine bleuté, net de pigeons et d'hirondelles, mais ravagé de soleil, peut satisfaire mes goûts. Un ciel, ça! Levons les yeux, hissons les prunelles comme on hisse les couleurs et laissons-les flotter très haut, ton sur ton.

La bancaline va toujours, longe cette partie du chemin

de halage qui s'appelle l'avenue Joffre. A droite, les villas s'espacent enfin. A gauche, clubs et plages artificielles se font plus rares. Le bassin réservé de l'A. S. A. eût été pratique, mais il est trop exposé aux regards des usagers de la grande passerelle. Le petit appontement de l'Elan est également désert. N'en parlons pas : c'est là que se dandine le canot rouge du poste de secours! J'aurais du mérite! Non, c'est un peu plus loin qu'il faut aller, en face de l'île des Corbeaux, là où la Marne n'est pas une rivière organisée, contrôlée, offerte à n'importe quel débutant, là où elle est en principe réservée aux poissons si l'on en croit les objurgations municipales. Voici la première, largement peinte en noir au revers du parapet :

INTERDICTION DE SE BAIGNER

Arrêtons. Faisons demi-tour pour nous ranger à vingt ou trente mètres de l'endroit choisi. La précaution est superflue, mais la distance à franchir corse l'affaire. Voilà un bon exercice supplémentaire, une mise en train. Après tout je ne suis qu'une demi-paralytique. Il y a beau temps que je remarche appuyée sur des béquillons, moins odieux que des béquilles (et qu'il convient d'ailleurs d'appeler cannes). Mais je n'ai pas encore tout à fait éliminé cette rotation du tronc, cette démarche fauchante, ces trépidations du pied qui rendent pitoyables les promenades d'infirmes. Il reste surtout des opérations délicates, notamment celle de passer d'un équilibre à l'autre, de la station assise à la station debout ou vice versa, sans faire de grotesques contorsions, *naturellement,* comme si on était une fille peu différente des autres, une de ces jouvencelles qui dépensent sans compter leur souplesse. Quelle économie des forces, quelle expérience de la pesanteur nous sont nécessaires, à nous, pour les imiter! Plus exactement : pour les singer! Un paralytique qui se respecte a son catalogue de trucs et son plus grand plaisir est d'en trouver de nouveaux, de parfaire ses petites méthodes. On en arrive à jalonner rapidement le terrain, à l'examiner comme une épure, pour repérer le moindre appui et trouver la manière la plus élégante, c'est-à-dire la moins voyante, de s'en servir.

Longer ce parapet sera un jeu d'enfant. Une seule canne suffit. Il n'y a qu'à poser la main sur la murette. Mieux : à pianoter du bout des doigts sur la pierre. Comme d'habitude, marchons d'abord avec les yeux. Dix-huit poses du regard, dix-huit mesures : cela fait dix-huit pas. Arrivée au petit escalier, je cacherai ma canne dans un coin. Puis je descendrai, assise, degré par degré. C'est une mise à l'eau *en trempette*. Moi qui me lançais, à huit ans, du haut du grand plongeoir! Au fait, si j'étais vraiment courageuse, je devrais tenter *le groupé* puisque, dans ce plongeon-là, on se tient les pattes.

*

Papa, les petits bateaux qui vont sur l'eau ont-ils des jambes?... Pedes habent et non ambulabunt... T'en fais pas, la Marie... Quel harmonieux mélange! A vrai dire peu importe le sens des mots. Il s'agit de me donner du cœur au ventre. Il s'agit d'une chanson de marche. N'est-il pas souhaitable, au surplus, qu'une décision grave soit exécutée avec les grâces du jeu? Me voilà debout, au bord du quai. La pointe de la canne fait des trous réguliers dans le sablon. Progressant sur la pierre de taille du parapet, l'index, le médius et l'annulaire en éprouvent la rugosité. Tout compte fait, l'annulaire est inutile. Le médius aussi. L'index suffira. Et même l'ongle de cet index, que meule le grès. Mon dix-neuvième pas (dix-neuf et non dix-huit. Pour l'erreur de calcul... hou, Constance, hou!)... mon dix-neuvième pas m'amène au sommet de l'escalier dont la Marne noie la huitième marche. La première reçoit mon derrière, un peu rudement, parce que j'ai lâché ma canne trop tôt. Autre petit malheur : j'ai oublié ma serviette. A la réflexion, j'ai oublié mon casque. Mais ces

détails sont secondaires. Descendons, degré par degré, en
fredonnant toujours, en feignant la rigolade, comme s'il
s'agissait de jouer au tape-cul des mignonnes sur le fond
blanc d'une culotte Petit-Bateau. L'eau est maintenant
à portée de ma main. J'y plonge un doigt, puis deux,
puis tout l'avant-bras. Mais chose curieuse — et que j'ai
déjà remarquée devant mon lavabo — ma main n'a pas
d'avis, ne peut pas dire si l'eau est chaude ou froide. J'ôte
mes sandales et mes jambes, plus sensibles, la trouvent
bonne. Bonne ou pas bonne, d'ailleurs, cela ne change
rien, ma Constance! Même s'il fallait casser la glace pour
te foutre dedans, je te la casserais, sois-en sûre! Allons!
Un, deux, trois, quatre, cinq... sautez, petits boutons!
Cette robe de plage, qui s'ouvre sur le devant, je la dé-
pouille en me tortillant comme une couleuvre qui abandonne sa peau. Et pour la première fois depuis des années,
j'apparais en maillot.

En maillot. Me voilà toute chose. Mon maillot! Mon
deux-pièces! Oui, j'avais dix-neuf ans lorsque maman se
mit en quête de quatre pelotes de laine récupérée et les
obtint contre un kilo de beurre. Du beurre de la ferme
qui appartenait aux cousins de Normandie. De cette même
ferme où toute la famille Orglaise serait plus tard anéan-
tie. Tous les miens. Tous les miens à l'exception de tante
Mathilde et de ça!...

De ça! Ça, c'est moi. La belle loque! La belle fille à la
poitrine rare, aux hanches plâtes, aux jambes de carton-
pâte! Regardez-moi ces orteils, qui remuaient, qui grouil-
laient avec vivacité et qui ont l'air aujourd'hui d'une
rangée de petits cailloux. Je me soulève sur les mains, je
descends encore, je m'assieds sur une marche submergée.
L'eau, qui me mouille jusqu'au nombril, semble sale et
glaireuse. Elle sent l'herbe, la vase et l'anguille. Elle
clapote : « Tu as peur, ma fille. Tu essaies de faire passer
ta peur pour du chagrin. Mais tu as peur... » Ce n'est
pas vrai, je n'ai pas peur. Je crains seulement d'être
idiote. Ou, qui pis est, sacrilège. Cette vaine acrobatie
n'a-t-elle pas quelque chose d'égoïste, de provocant, envers

la rigidité définitive de nos morts? Papa, maman. Marcel...
Qu'en penseraient-ils tous trois?

« Ils en penseraient que tu les honores! » Non, je ne
suis pas, je ne serai pas une infirme ordinaire. Que mon
orgueil bouscule mes défaillances! Il lui faut cette revanche, ce *test*. Mon pauvre deux-pièces de laine récupérée, qui pue l'antimites, n'est qu'un argument de plus
Aujourd'hui, c'est moi qui suis récupérée. Je me dope, naïve
et pompeuse. *Vulcain, Couthon, Talleyrand, Corinne*... Corinne surtout puisqu'elle étai. femme... Inspirez-moi, les
grands bancals! Je me souviens du grand titre, à la une, en-
cadré de noir : *F. D. R. est mort!* Je me souviens de l'article
nécrologique, de ce passage que j'avais lu et relu, que je
connais encore par cœur : *Foudroyé par la paralysie infan-
tile, Roosevelt ne renonça point. A force de volonté, ce
sportif parvint à se tenir debout, à marcher presque nor-
malement en s'appuyant discrètement au bras d'Eleanor.
Parfois il se faisait conduire à la piscine et, nageant avec
les bras, tenait encore sa place dans une partie de water-
polo...* Te-nait-en-co-re-sa-pla-ce, Constance, entends-tu?

Et plouf! Je tiendrai la mienne.

*

La prudence me conseillait de continuer à descendre
dans l'eau, marche par marche, de faire un essai de brasse
avant de perdre tout contact avec l'escalier. Mais la prudence... Il est bien question de prudence!

Sous un mètre de Marne, je me débats, je m'embrouille,
je récite un long chapelet de bulles. J'ai bien commandé à
mes jambes, instinctivement, cette double détente, ce
vigoureux « coup de pied aux antipodes » qui renvoie les
plongeurs à la surface. Mais elles n'ont pas pu m'obéir. A
peine ont-elles esquissé une molle grenouillade. Certes,
les bras vont sauver la situation. J'émerge, je souffle, je
crache, je recrache. J'ose même, par bravade, gâcher de
l'oxygène en reprenant : *T'en fais pas, la Marie*...

Mais rien à faire pour coordonner mes mouvements. Vaine ambition. Comme un aveugle de guerre cherche à voir en se référant à ses souvenirs, je fais de la nage cérébrale. Joli brassage de flotte qui, vu du rivage, doit ressembler au barbotage affolé d'une débutante! Qui oserait penser que cette ridicule ondine laissait sur place, jadis, les copines du club? La planche s'impose. Avec des cuisses qui ne valent rien, il n'y a plus qu'à faire du fil-de-l'eau, comme le poisson crevé, en attendant de trouver une solution plus élégante. Tous les animaux ne nagent pas de la même façon et je suis devenue un autre animal, une sorte d'apode. Les couleuvres d'eau, qui nagent si bien, sont aussi des apodes : il faudra m'inspirer de leurs ondulations. Il doit être possible de tenir les jambes soudées, l'une contre l'autre, de se servir des hanches, de transformer tout le bas du corps en godille...

— Orglaise! Tu es folle?

De tuile en tuile. Malgré mes cheveux qui, faute de casque, se sont répandus autour de moi comme des algues, malgré les glouglous, les bourdonnements qui me remplissent les oreilles, j'ai bien entendu. Allongée en travers du courant et tournant le dos à la berge, je n'ai pas encore vu le gêneur. Ce n'est pas le voisin de palier, l'affreux père Roquault, qui m'a surnommée « Frasquette ». Lui, il aurait crié de sa voix fêlée : « Encore une, Frasquette, encore une! » Il ne peut s'agir que de Milandre. Lui seul a cette manie de me jeter mon nom de famille à la tête, comme il le jetait à Marcel, son condisciple. Lui seul a un tel génie de l'inopportunité. L'expérience ne tournait déjà pas si bien. En présence du barbouilleur, elle risque de tourner tout à fait mal. Car enfin ce garçon a des yeux. C'est même son métier d'avoir des yeux. Je ne peux pas lui offrir le spectacle de mes cuisses, entre lesquelles on peut passer le poing. L'en informer verbalement, passe encore! Mais dégoûter son regard est une autre affaire. Impossible de continuer à faire la planche devant lui. Je laisse couler mes jambes et je me retourne pour crier :

— Je t'ai dit cent fois, Luc, que j'avais un prénom.

— Tu es folle, répète Milandre. Folle. Toi qui ne dois prendre que des bains chauds!

La boîte de peinture en bandoulière, les mains crispées sur le parapet, toutes ses mèches au vent, la bouche de travers — comme un prédicateur en train de parler des peines de l'enfer — Luc frissonne dans son blouson maculé, assorti à ce visage criblé de taches de rousseur rassemblées autour des yeux : particularité qui au collège lui valait le surnom de « la chouette ». En fait d'oiseau, il joue en ce moment le rôle de la poule qui a couvé un canard. Son inquiétude et son dépit se liguent, son front se fripe, ses poings martèlent le parapet.

— Tu vas me faire le plaisir de remonter illico.

Je n'en crois pas mes oreilles; bientôt, je n'en crois pas mes yeux. Milandre dégringole l'escalier, entre dans l'eau jusqu'au genou, essaie de me saisir un bras.

— Ton pantalon!

Je me suis jetée en arrière, je patauge un peu plus loin, non sans mal. Mais trois secondes plus tard ce damné garçon m'oblige à crier, d'une voix bien différente :

— Mon soutien-gorge!

C'est que Milandre, affolé ou spéculant sur ma pudeur, vient de ramasser ma canne et a réussi à l'accrocher dans une bride. Mauvais calcul, si c'en est un : une fille peut offenser sa pudeur pour ménager sa fierté, pudeur plus haute. Plutôt que de me laisser harponner, je glisse un bras derrière mon dos, je détache le bouton. C'est un trophée ridicule, un soutien-gorge vide que Luc ramène à lui, tandis que je m'enfonce jusqu'au ras du nez, toute rouge et brouillant l'eau devant moi. Précaution d'ailleurs inutile, car il n'y a pas grand-chose à voir et Milandre se détourne pieusement.

Mais il est temps d'en finir. Je n'en peux plus. Mes reins deviennent douloureux. L'eau semble changer de température, se mélanger à quelque source glacée, jaillie du fond. Elle est aussi plus épaisse et comme métallique, elle prend la consistance du mercure, elle oppose une étrange résistance aux mouvements de mes bras. Je me soutiens à peine, je coule, je remonte, je suffoque.

— Vite, vite, vite! répète Luc d'une voix pointue, que je ne lui connais pas.

— Fous-moi la paix!

Cet excès d'orgueil mérite bien une punition. Je bois une première tasse, puis une seconde. Mais c'est plus fort que moi : il faut encore que je crâne, que je bredouille :

— Je me... Je me...

Troisième tasse. Pendant quelques instants j'ai l'impression d'être suspendue à cette touffe de cheveux que lessive une légère houle.

— Je me sauverai bien toute seule!

Dernier gargarisme d'eau sale. Je rassemble mes forces, je me rapproche de l'escalier, j'expédie un bras hors de la Marne, j'agrippe quelque chose. Non, je le lâche. Ce quelque chose était le pied de Luc et, si peu que ce soit, je ne veux pas me servir de lui. Par bonheur l'angle de la marche est au-dessous de ce pied et je peux m'y cramponner sans honte.

— Ouf!

Ce n'est pas moi, c'est Luc, évidemment, qui vient de proférer cette pauvre exclamation et qui enchaîne, avec une belle indignation :

— Tes seins, Orglaise! Veux-tu mon mouchoir?

Et comme je ne réponds pas.

— Oh! là, là, ce que tu peux être crispante!

Je sais. Je sais cela, mon bonhomme, depuis l'âge de dix ans. *Ce que tu peux être crispante!* Mes parents, mon frère, mes amies me l'ont dit cent fois. La phrase est devenue le leitmotiv de Mathilde, depuis qu'elle m'a recueillie. Crispante, oui. Peut-être aussi crispée. Mais quoi! C'est fini, la partie est gagnée. J'enfile ma robe, à même la peau, sans m'essuyer. Je me soulève, je me hisse sur une autre marche, j'étends les jambes et je joue des hanches pour me débarrasser de mon caleçon sans montrer trop de cuisse. Le caleçon roule, glisse jusqu'aux chevilles, reste accroché au pied gauche. Du bout de ma canne, je l'envoie rejoindre dans la Marne l'autre partie du deux-pièces, maintenant inutile. Puis grelottant un peu — car le vent s'est levé et je suis nue sous ma robe — je remets mes sandales, je remonte l'escalier, en feignant d'ignorer Luc qui s'entête à ne pas vouloir comprendre qu'il est, lui aussi, désormais superflu.

— Je te ramène à Saint-Maurice, propose-t-il à voix basse.

— Si tu veux. Mais en rentrant pas un mot à ma tante. Elle en ferait une maladie.

*

De la même façon qu'à l'aller, sans aide, j'ai rejoint ma voiture, je me suis assise — point trop vite! — j'ai saisi la manivelle. Devançant le geste de Milandre, je précise :

— Pas de poussette, hein! Quand j'étais petite, j'adorais tourner le moulin à café. Trois kilomètres à moudre, la belle affaire!

Je souris de toutes mes dents, je me tiens à peu près droite. A peu près seulement, parce que mon dos me fait mal et surtout parce que je suis moins satisfaite de moi-même. J'avance lentement, la roue contre le trottoir. Sans fredonner. Le charme est rompu, l'exaltation tombée. Championne des paralysées dans le cinquante centimètres brasse, quel sujet d'orgueil! Voilà qui rejoint dans le ridicule bien d'autres expériences. Toutes ces « expériences » qui, après coup, ne me semblent plus que des fantaisies. L'autre jour, ho! hisse! c'était un essai à la corde à nœuds. Parlons-en de la Mère-Pendouille! Le surlendemain on décidait comme ça, pour voir, de marcher sur les mains. « On » s'est d'ailleurs effondré, le nez dans une bassine d'eau de vaisselle abandonnée à terre par Mathilde. En vérité, que veut-on, que peut-on se prouver? Il y a long-temps que je les connais, mes limites! Il y a longtemps

que j'ai pu les apprécier, les moyens qui me restent!
Chacun peut se donner des leçons d'énergie, bien sûr :
c'est même la seule matière dont s'accommodent parfaitement les autodidactes. Mais de la leçon à cette sorte de
démonstration, de la volonté au goût du miracle. il y a
une marge. Et si j'avais échoué, cette fois-ci? Si je m'étais
stupidement noyée, offrant quarante-huit kilos de viande
violette aux pales d'hélices et aux vannes de l'écluse? Pis
encore : s'il avait fallu être sauvée par le canot rouge des
secouristes, leur fournir d'impossibles explications, passer
pour une espèce de folle? Je me retourne, je jette un
coup d'œil à Milandre qui me suit, effacé, silencieux et
se bornant — le gros malin! — à raccourcir son pas.

— Tu me trouves idiote, hein?

Luc hausse faiblement une épaule et répond, prudent :

— Tu t'ennuies.

Je serre les dents. L'ennui est une affreuse excuse.
L'ennui! Comme le mot et la chose sont loin de moi, si
elles sont proches de lui! Il me prête son mal. Il ne comprend décidément rien à rien, ce pauvre Luc. médiocre
en tout sauf en amitié et qui ne possède même pas l'intelligence de cette amitié. Essayons de lui expliquer :

— Je ne m'ennuie pas. Je me manque.

Mes mains lâchent la manivelle. La bancaline s'arrête.
Pourquoi ai-je cru nécessaire d'insister, de répéter sur le
mode farouche :

— Tout me manque.

Nous allons tomber dans l'émotion, c'est le bouquet!
J'observe le menton de Luc, ce menton de chair jaune,
long, pointu, hérissé de gros points noirs et qui ressemble à un croupion de poulet. Ce menton tremble un
peu.

— Je suis injuste. Tante et toi, vous êtes tous les deux
si...

J'allonge vainement les lèvres : je ne trouve pas le mot.

— Dévoués, souffle Milandre. On est des gens dévoués.
Tout dévoués à mademoiselle.

La moue. le ton sont significatifs. Et désolants. Désolants parce que ce pauvre type n'a pas tort : je suis une fille impossible. Le pire, pourtant, est que je ne sache point l'être tout à fait, qu'il reste à Luc — et à d'autres — des moyens de me toucher, qu'on puisse faire battre mes cils sur des prunelles qui se croyaient parfaitement sèches. Zut! Je ne vais pas renifler, non? Ecoutez-moi ce tremolo, qui se voudrait gouailleur :

— Si monsieur m'est si dévoué, il serait gentil de pousser un peu. Je suis rompue...

Nous sommes bien avancés! Luc étend la main, sourit. Mais la main est molle et le sourire s'éteint vite. Qui serait dupe de cette petite abdication? Luc sait — ou sent — qu'il s'agit d'une grâce. De la plus humiliante grâce : celle que vous fait un être qui a pitié de votre pitié, qui vous permet de lui rendre un service dont il n'a pas besoin.

II

LES ardoises mouillées, un peu effritées sur les bords, qu'on apercevait à travers la fenêtre étaient du même bleu que le ruban encreur, lui aussi bien usé par la frappe. La pluie sur le toit, les doigts de Mathilde sur le clavier de la vieille Underwood, tapotaient de molles, de mornes gammes. Toutes les quinze secondes tintait la sonnette du tabulateur. Un grincement triste annonçait le recul du chariot vers son butoir, qu'il heurtait presque sans bruit. Puis reprenait l'infatigable et souple cliquetis des touches nickelées. Quarante-cinq mots, quatre lignes, dix-huit respirations à la minute. Rythme prévu. Prévues aussi les pertes de vitesse dues à ces raclements de gorge — simples relais dans le silence — ou aux tortillements des hanches de Mathilde réinstallant au mieux son derrière sur le coussin pneumatique. Prévues elles-mêmes de toute éternité les deux fautes par page et la minute consacrée au coup de gomme, minutieusement donné à travers l'un des trous du « cache » de matière plastique rouge offert gracieusement par le fournisseur de carbones.

Moi, je collationnais. Je n'aime pas lever le nez quand je travaille, mais le silence de ma tante m'inquiétait. Chez les bavardes, le silence est généralement l'indice de la colère. Après deux semaines de réflexion, Luc avait-il fini par lui raconter ? Pourtant le profil de Mathilde restait ce qu'il était : faussement sévère, singeant le solennel, genre

Louis XIV affligé d'un chignon, d'un kyste de la paupière
et de ce vilain « cou à poche » des lapins gras, lui-même
débordé par la masse gélatineuse, informe, qui s'écroulait
dans le corsage. Comme toujours cette masse se tassait peu
à peu, semblait fondre sur la chaise, jusqu'à ce qu'inter-
vienne ce sursaut des épaules qui, toutes les cinq minutes,
la redressait, l'obligeait à lutter encore contre la graisse,
la fatigue et la pauvreté. Je pensai : « La pauvre vieille
travaille trop, pour me nourrir. » Et, me sentant vaguement coupable, je me remis à collationner.

— Tourne-toi un peu. Je te prends de trois quarts.

Tiens, c'est vrai, il était là, l'inévitable! Je n'y faisais
plus attention. Suçant ses crayons, il essayait pour la centième fois de faire mon portrait. A quelques variantes
près, sans le voir, je connaissais ce chef-d'œuvre : une tête
d'ange anémique avec des cheveux de paille, une bouche
rose à la baisez-moi-mignonne et des prunelles trop bleues,
insolites, tombées sur le papier comme des boules de
lessive dans une béchamel. A l'idée qu'il trahissait ainsi
son propre caractère, qu'il osait inconsciemment me proposer un visage conforme à ses pauvres goûts, je sentis
s'agiter en moi le démon du bon conseil :

— Tu n'as vraiment rien à faire? Je croyais que tu avais
une commande.

Luc retira deux crayons de sa bouche, puis un mégot,
avant de répondre :

— Une commande de cartes postales : cent *Joyeux
Noël* avec gui, houx et neige obligatoire, pour le libraire
de la rue du Pont. Tu parles d'un boulot pour un artiste!

— Tu parles d'un artiste!

— Douce comme le père Roquault, aujourd'hui, mar-
monna Luc. A propos, on ne le voit guère, ton aimable
voisin. Il se calfeutre. Son rideau ne bouge même plus,
sur la rue. Est-il à court de rosseries ou pique-t-il une
crise de neurasthénie?

— Pour faire le chardon, ces deux-là, ils se valent! fit
Mathilde en me jetant un regard réprobateur.

Je faillis répondre : « Je ne le fais que pour les ânes. »

Je pus ravaler ma langue, en conservant dans la bouche ce goût de lait vinaigré, d'affectueux mépris qui a toujours gâté mon intimité avec Luc. Les prétentions pâles de ce pauvre bougre, incapable de grandes choses et dédaignant les petites, m'exaspéraient. Est-ce qu'on refuse d'être utile, même sans gloire, quand la gloire est de l'être à sa mesure? Je collationnais bien les copies de ma tante, moi! Jolie situation pour une bachelière.

Bougonne, je repris ma lecture. Je contrôlais, mot par mot, les cinq doubles d'une thèse de doctorat, farcie de pesants termes techniques. *A la radioscopie, on peut alors observer une légère nébulosité sous-claviculaire. Il s'agit d'un petit tractus fibrocrétacé.* Non, c'était « fibrocétacé ». *Les signes pulmonaires (petite guéode)...* non, « géode ». Et, de page en page, une virgule oubliée, un doublon à biffer, une interversion, une lettre à changer : mon crayon valait bien celui de Luc. Je ne me sentais pas humiliée. La pluie, l'Underwood crépitaient toujours. Deux heures passèrent.

*

A midi moins le quart, j'éternuai. Le plus discrètement possible : une simple lettre russe, un « tché » dévié par le nez et presque étouffé dans le mouchoir. Mathilde, pourtant, se retourna d'un bloc et, le menton rentré dans ses multiples bajoues, le kyste frémissant au bord des cils, me dévisagea longuement :

— Je me demande où tu as attrapé ce rhume. Ce que tu peux toussailler depuis quinze jours!

Le dos rond, je me fis toute petite. J'attendais. Mais ma tante enchaînait déjà :

— Luc, va nous chercher le courrier. La concierge n'est pas montée ce matin.

Milandre, qui a raté une vocation de garçon de courses, ne se fit pas prier et s'en fut, traînant ses pieds plats.

Mathilde réussit un soupir, étendit la main vers une sébile pleine d'épingles et de trombones.

— Tu allais mieux, le mois dernier, gémit-elle en assemblant soigneusement des doubles. Maintenant ça cloche. Si, si, je vois bien que ça cloche. Tu... tu...

Sa bouche grande ouverte goba un mot dans le vide, puis le recracha, accompagné de quelques postillons :

— Tu t'ennuies, ma fille!

Seconde édition : Milandre me l'avait déjà dit. Je fronçai les sourcils. S'il ne s'agissait pas d'une scène, il s'agissait d'une proposition. Qu'avait encore inventé le génie tenace et tatillon de ma trop bonne tante?

— J'ai rencontré l'assistante sociale du quartier. Nous avons parlé de toi. Elle aimerait t'aider...

— Je t'en prie!

J'empoignai le dossier d'une chaise et, d'un seul coup, me mis sur mes pieds. En pareil cas, afin de couper court à toute discussion, je n'avais qu'une recette : prendre un air outragé et filer dans ma chambre. Seule, ma façon de marcher, sans apprêter mon pas, en traînant sèchement la jambe, exprimait ma réprobation.

— Mlle Calien viendra ce soir, dit encore Mathilde, très vite.

La porte poussée, j'étais déjà chez moi, dans cette pièce que j'ai choisie parce qu'elle est la plus petite de nos trois mansardes, dans cette véritable cellule, carrelée de rouge carotte, chaulée de blanc pur, sans cadres, sans bibelots, sans doubles rideaux, sans poêle, meublée d'un lit de fer et d'une armoire de hêtre brut. J'en retrouvais avec soulagement l'extrême nudité qui me reposait des fouillis de la pièce commune, des bavardages, des surabondantes gentillesses de ma tante. J'allai jusqu'à la fenêtre et, d'un revers de main, j'effaçai la buée d'une vitre. Il n'y avait plus de ciel. Les nuages se condensaient sur les toits mêmes, luisants et fluides. En face, par une faille de la rue Blanc, la Marne se laissait à peine deviner : un fleuve de coton descendait vers Paris, coulant au-dessus d'un fleuve de mercure et noyant des péniches aux

sirènes étouffées. Impossible de lire l'heure au cadran
ajouré de l'église Sainte-Agnès, dissoute dans la brume,
de l'autre côté du quai. Cette espèce de pansement sous
lequel expirait la saison, cet effacement provisoire du
temps et de l'espace m'apaisaient, me trouvaient pour un
instant satisfaite de vivre et de me tenir droite, nette,
solitaire, réfugiée dans ma robe.

Un bruit de porte et le pas de Milandre rompirent
le charme.

— Il n'y a qu'une lettre, disait Luc, et encore elle est
adressée par erreur à ce pauvre Marcel. Où est Constance?...

— Elle boude.

Je revins vers la pièce commune (celle que j'appelle le
capharnaüm). Ma tante avait débarrassé la table, entassé
les paperasses sur la commode, posé sur la toile cirée le
cabas aux légumes. Comme j'ai horreur de rester inoccu-
pée, je raflai un couteau de cuisine et saisis une pomme
de terre.

— Lis-nous ça, Luc, fis-je brièvement.

— Ah! non, protesta Mathilde. On ne lit pas le courrier des morts. Les lettres adressées à ta grand-mère, après
sa disparition, je les ai toujours brûlées.

Un torchon dans les mains, elle jouait une fois de plus
à la duègne de tragédie. Son chignon, d'où s'échappait
une mèche cireuse, oscillait d'une épaule à l'autre. De
profonds soupirs gonflaient et dégonflaient cette importante poitrine, que nous surnommions l' « avant-scène »
et que divisait le ruisseau d'argent d'un sautoir. Luc, indé-
cis, se rongeait l'ongle du pouce.

— Lis donc, répétai-je, impassible, et tirant de ma
pomme de terre une épaisse et large spirale de peau.

Luc choisit un moyen terme et posa la lettre auprès
de moi en murmurant à Mathilde, pour s'excuser :

— C'est une vague circulaire... J'ai reçu la même hier.

Ma tante fit la moue, partit à la recherche de l'éplu-
choir, puis du précieux rond de caoutchouc sur lequel

ses hémorroïdes la contraignent à s'asseoir. Une fois installée, elle bougonna :

— Après tout, c'est ton affaire... Mais qu'est-ce que
c'est que ces épluchures! Plus fines, voyons! Comme tu
deviens maladroite de tes mains!

Je l'honorai d'un coup d'œil en songeant : « Tiens,
la chair des patates est assortie à son teint. Et ces petites
peaux... elle a les mêmes sur le bord des ongles. » Puis
je décachetai l'enveloppe, d'où s'échappa un feuillet de
papier bulle à l'en-tête du lycée Jean-Jacques Rousseau.
Le texte, ronéotypé, s'ornait d'une signature, réduite à
un paraphe en forme de fouet. Il était court :

Cher Monsieur,

*Renouant avec une tradition abandonnée depuis la
guerre et que nous n'avons que trop tardé à rétablir, nous
célébrerons la fête des anciens le deuxième dimanche de
novembre. Selon l'usage, nous recevrons plus particulière-
ment le cours sorti depuis dix ans, c'est-à-dire le cours
de philo 1938. Par la même occasion nous reconstituerons
l'Association amicale et reprendrons la publication de son
bulletin trimestriel. Nous comptons bien sur vous et, dans
cette attente...*

D'un geste sec je chiffonnai la circulaire. Ma main
pétrissait nerveusement le bouchon de papier. *Jean-Jacques
Rousseau!* C'était le temps où vive, *entière,* je fréquen-
tais moi-même le cours Sévigné. Le temps des encriers
plats, remplis à ras bord de boue mordorée, des plu-
miers de laque noire, triomphe du simili-japonais, des
bousculades, des galopades à travers les couloirs du métro. Le temps des décisions fraîches, des illusions par-
faites, résumées par cette confidence faite à certain cahier
de moleskine : *je serai certainement aviatrice.*

— De quoi s'agit-il? murmura Mathilde dont les scrupules succombaient devant la curiosité.

— C'est une invitation que le collège envoie à **Marcel,** pour la fête des anciens.

— Le pauvre petit!

Ah! non, pas de doléances! Par-dessus les mèches de ma tante, j'interpellai Milandre dans le style de notre jeunesse.

— Iras-tu, *la Chouette?*

Luc haussa les épaules. J'insistai.

— Pourtant, le cours 1938, c'est bien le vôtre. Enfin... c'est le tien.

— Oui, admit-il. Et puis après! Pourtant, figure-toi que nous avions prêté une sorte de serment de potache, le soir de l'oral de philo. On s'était juré d'assister à cette fête anniversaire et de se réunir ensuite au *Dupont-Latin,* dans la salle du sous-sol... tu sais : celle qui est entourée d'aquariums. Nous devions nous con-fron-ter, ma chère! com-pa-rer nos ex-pé-rien-ces! On a de ces mots à dix-huit ans!

Je fis un geste de la main pour l'arrêter. Mais il était lancé.

— En fait d'expériences, il faut avouer que nous avons été servis! Une guerre, des morts, des ruines, la captivité, nos situations perdues, nos études inachevées, l'avenir foutu pour la plupart... quels jolis sujets de causette! Non, je ne crois vraiment pas que nous ayons encore envie de nous communiquer les résultats. Même ceux qui ont fait leur trou... deux ou trois, pas plus, et Dieu sait comment!... Même ceux-là, surtout ceux-là, ne viendront pas confesser leurs petits moyens. D'ailleurs, nous nous sommes oubliés, nous nous sommes dispersés : c'est tout juste si j'ai suivi trois ou quatre types dont je sais vaguement qu'ils pourrissent dans un bureau ou qu'ils vendent des pâtes dentifrices. Enfin, le lieu même de la réunion ne convient plus : la salle des poissons est maintenant réservée au restaurant.

— Ça, c'est un détail.

Le timbre de ma voix m'étonna. Mais Luc n'y fit pas attention et continua d'accumuler des objections qui sou-

lignaient toute sa crainte — justifiée — de servir de
repoussoir à ses anciens condisciples. Je ne l'écoutais plus.
Je fredonnais *intérieurement*. D'un couteau négligent, je
sculptais aussi une vague tête de moine dans une pomme
de terre en réservant une partie de la peau pour le capu-
chon et deux points noirs pour former les yeux. Mais surtout je supputais. Idée intéressante, n'est-ce pas? Intéressante. Il fallut les douze coups de midi, sonnés par le
carillon du voisin d'en dessous, pour me tirer de ma
torpeur. Je m'aperçus que Luc, enfin, ramassait son matériel.

— Je me sauve, disait-il en tirant d'un seul coup, de la
ceinture au col, la fermeture-éclair de son innommable
blouson.

Interprétant mon mutisme, il se rapprocha, posa sur
mon bras une main sale, qui empestait l'huile de lin.

— Pour la réunion, tu ne voudrais pas tout de même
que j'y aille?

Je ne répondis pas tout de suite. Je revenais de loin.
Dans un geste qui m'est familier, je secouai mes cheveux,
puis j'encensai de la tête comme les chevaux satisfaits de
leur route. Enfin, sans transition, j'annonçai :

— Moi, j'irai certainement.

III

D'AGE imprécis, vêtue de noir, gantée, chapeautée de gris
souris, serrant sous son aisselle gauche une serviette de
fibrine écaillée, Mlle Calien était assise en face de moi.
Assise de cette façon particulière aux professionnels de
la visite charitable, qui se contentent de l'extrême bord
des sièges, qui ne font que les effleurer, prêts à filer vers
une autre chaise, vers une autre adresse. J'en parle savamment! Qui poursuit une carrière d'infirme a l'occasion de
voir défiler le ban et l'arrière-ban de la bienfaisance. Au
même titre que le boucher ou la crémière, il existe un
type courant de bonne dame.

En l'absence de Mathilde — convoquée à l'improviste
par un client pressé — celle-ci me débitait depuis un
quart d'heure les consolations d'usage, d'une voix de
source, tiédasse, imbuvable. Comme d'habitude, je restais
sur la défensive, recroquevillée dans mon ingratitude,
muette, polie, branlant du chef et admirant une fois de
plus combien la pitié, déjà pénible quand nous la subis-
sons de la part de nos proches, peut devenir intolérable
quand elle n'a plus l'excuse ni les façons de l'intimité.

— Alors, vraiment, vous ne voulez pas de mon chat?
Le chat, voilà pourtant le compagnon idéal de l'infirme :
fidèle, pas remuant, affectueux... Mon chat est celui d'une
octogénaire, atteinte d'un cancer et que nous sommes obligés de transférer aux incurables.

Un chat d'octogénaire et pas remuant! Un chat sur me-

sures pour paralytique. D'une pierre, trois coups : voilà
un chat sauvé, une incurable tranquillisée, une Constance
comblée! La Providence insistait :

— Un très beau chat, vous savez, très doux, très propre,
en très bonne santé...

La plaisanterie avait assez duré. J'ouvris enfin la bouche.

— Non, merci. Si votre chat était affreux ou malade,
je pourrais à la rigueur m'y intéresser. Mais un chat parfait trouvera facilement preneur. Il n'a pas besoin de moi.

Mlle Calien parut interloquée. *Il n'a pas besoin de
moi*... Cette petite renversait les rôles, mettait à l'épreuve
une patience exercée.

— Alors, je vous apporterai des livres? Nous avons de
bons romans et quelques ouvrages rééducatifs, sérieux,
qui pourraient vous être profitables. Vous lisez?

— Je ne lis presque rien : quatre ou cinq livres par an.
Si vous préférez, je lis presque tout, tout ce qui est valable : ce qui revient au même. La littérature moderne
s'embarrasse de problèmes qui m'ennuient ou qui me
semblent inexistants. Quant aux publications spécialisées
pour infirmes, je n'y touche jamais... Que l'amateur de
melons lise *Le Petit Jardinier* et le bouif du coin *La Cor-
donnerie française*... soit! Mais la paralysie n'est pas une
profession. Encore moins un amateurisme, je vous en réponds! Ce qui me parle de mon état ne m'intéresse pas :
je le connais trop.

Sursaut. Nervosité des gants gris. Indignation des ailes
du nez qui flairent une révolte. Mais la fermeté, n'est-ce
pas, peut devenir une des formes de la compassion.

— Vous vous connaissez, mais vous ne vous acceptez
pas. Ce serait pourtant plus facile...

Hélas! Le tac au tac est mon pire défaut.

— Plus facile, en effet. Je n'aime pas la facilité. Et je
me demande pourquoi on exige toujours des infirmes ou
des pauvres qu'ils s'acceptent, au lieu de s'oublier.

— S'accepter. c'est se mériter.

— Le beau mérite que de dire oui à tout ce qui nous
diminue!

— Ne faites donc pas de phrases.

Par bonheur je pus retenir la riposte : « Et vous, épar-
gnez-moi les phrases toutes faites. » Cette personne, qui
après tout me voulait du bien, n'en méritait pas tant. De
son côté, Mlle Calien, essoufflée par cet échange de balles
auquel ne l'avaient point accoutumée les bénédictions
cauteleuses et les pleurnicheries de sa clientèle ordinaire,
laissait tomber des paupières de sainte découragée. Prête
à partir, elle vérifiait ses boutons. Un scrupule la retint,
elle aussi.

— Voyons, mon enfant, on m'a envoyée ici pour vous
aider. Du moins je le croyais. Nous ne faisons pas de
miracle, mais parfois nous soulageons. Si vous avez besoin
de quelque chose, dites-le.

— Je n'ai besoin de rien.

Radoucie (malgré le « mon enfant »), un peu confuse
et ne me sentant pas trop bonne conscience, je voulus
envelopper ce refus :

— Evidemment, depuis la mort de mon père, notre
situation a changé. Mais ma tante a pu se procurer cette
machine à écrire et cette ronéo, qui nous font vivre. J'ai
aussi une petite pension de victime civile. Avec un faible
loyer, un peu d'adresse et des menus de femmes seules...

Excellente réaction : la visiteuse s'assit plus largement
sur sa chaise. Nos sourires se rencontrèrent. « J'ai bien
fait de rester », avouait l'un. « Hé, oui! disait l'autre. Une
seconde de moins, ma brave demoiselle, et j'allais rater
votre estime. Comprenez ce fichu caractère sur qui n'a
aucune prise votre petit laïus passe-partout. Pour m'ap-
privoiser, il faut parler ma langue. » Soudain, Mlle Calien ferma un œil, comme pour viser.

— Vous ne vivez pas seule, dit-elle. Ne soyez pas trop
désintéressée

Mouche! Elle venait de faire mouche, cette maladroite.
Rien ne m'a jamais plus embarrassée que le dévouement
de Mathilde. Décidément inspirée, Mlle Calien poussa son
avantage :

— Je ne vous apporte rien, c'est entendu. Vous, alors,

donnez-moi quelque chose à remporter. Un peu de
confiance...

Comme il est facile de m'avoir ainsi! Je me sentis moins
raide. J'hésitai une seconde. Puis, comme je l'avais fait
dans la Marne, je piquai une tête dans l'éloquence.

— Eh bien! voilà : la seule façon de m'être utile, ce
serait de m'indiquer comment je puis l'être encore moi-
même.

Long silence... L'assistante n'en finissait pas de hocher
la tête, d'un air pénétré (ou sceptique). Comme j'en ai
la détestable habitude, je réservais mes commentaires...
Et alors? Qu'est-ce qui vous étonne, mademoiselle? Si lasse
que vous soyez, si blasée, vous devez reconnaître ce boniment. Il a dû vous traverser les dents, jadis, quand vous
étiez plus jeune, quand votre vocation de servir ne s'était
pas enlisée dans les routines d'un service. Je vois... Ce
qui vous ahurit, c'est qu'une telle prétention puisse naître
chez une bancroche qui a déjà du mal à s'occuper d'elle-
même. Mais rappelez-vous les derniers slogans de la phi-
lanthropie à l'usage des personnes susceptibles : *Le don
paie toujours une dette* (un peu ébouriffant, hein!), ou :
La charité n'est qu'un troc, ou encore : *Aidez-vous de
ceux que vous aidez,* formule dont je me recommande...

— J'imagine que, déjà, vous secondez votre tante, dit
enfin Mlle Calien, prudente et désignant du menton la
machine à écrire.

Rappel discret : d'abord, ma petite fille, il y a le devoir
d'état. *Des tas de choses ennuyeuses,* disait l'humoriste. On
peut ajouter : qui suffisent d'ordinaire à décourager les
gens bien portants. Mais mon devoir d'état, selon Mathilde, est de n'en point avoir et je suis de ces infirmes
qu'afflige une terrible santé. Ah! comment exprimer tout
cela sans tomber dans l'édification, l'hypocrisie ou la
naïveté, trois genres que j'abhorre? Il y a bien ce que la
directrice du cours Sévigné appelait « la politique de la
châtaigne » et dont elle se plaignait en gémissant : « Cette
génération! Elle a honte de sa bonne volonté, elle se hé-
risse. elle fait de l'ironie, elle a l'air de se moquer des

gens et d'elle-même. Je ne sais plus comment la prendre. »
Après tout, Mlle Calien savait peut-être, elle, qu'il ne
faut pas toucher la bogue et laisser tout bêtement éclater
la châtaigne.

— Je sais bien qu'en ne vous demandant rien je vous
en demande trop. Excusez-moi d'être aussi exigeante.

— Oh! fit l'assistante, bonasse.

Puis, tirant son sourire de biais :

— Heureusement, avoua-t-elle, que ça ne m'arrive pas
tous les jours!

Un bon point. Elle ne faisait pas une tête grave, ni
une tête effarouchée, ni même une tête de mystifiée qui
garde son quant-à-soi. Comme il est imprudent de juger
trop vite! Des gens que l'on croyait ternes ont des ressources de caméléon. Renseignée sur mon compte. Mlle Calien changeait d'expression, s'ajustait sur le visage un
nouveau masque : celui de la bonhomie. Une bonhomie
sérieuse, certes! mais relevée par ce rien d'impertinence
qui rend le sérieux supportable. Dodelinant du chapeau,
elle philosophait, sur le ton badin :

— Pour de bons sentiments, voilà de bons sentiments!
Un peu acides... un peu agressifs, sans doute... inspirés
par l'amour-propre plus que par l'amour du prochain! Après
tout, en ce siècle qui ne les aime pas, c'est la seule
manière de les faire admettre. L'orgueil passe où la sainteté
ne passe plus. Mais voilà que je fais des phrases, moi
aussi... En principe, je vous approuve et je vais même
vous embaucher. Toutefois...

Le pli de la lèvre s'accentuait, filait jusqu'à l'oreille.
Le « toutefois » se prolongea en point d'orgue, pendant
lequel la tuyauterie du service d'eau se mit à exécuter
quelques traits de fantaisie.

— Toutefois, répéta Mlle Calien, je crains de ne pouvoir vous offrir, pour commencer, qu'un affreux petit boulot sans gloire.

Pardi! Les corvées obscures lassent à coup sûr les zèles
d'occasion. C'était de bonne guerre. Elle continuait :

— De la paperasserie... Ça ne vous changera pas. Nos

attributions comportent un certain travail de bureau, qui devient envahissant et limite le temps que nous pouvons consacrer à nos tournées. Tenez, par exemple, il va me falloir expédier un appel à la générosité des commerçants. Taper le stencil, en tirer cinq cents exemplaires, les glisser sous enveloppe... voilà une demi-journée de fichue! Si, en attendant mieux...

— D'accord.

Il ne fallait pas lui laisser le temps de se reprendre. Ni celui de gaffer en récitant quelque action de grâces. Du remerciement... merci bien! Il me suffisait de l'avoir mise dans la situation d'un fournisseur venu faire ses offres de service et qui s'en retourne transformé en client.

— D'accord. Confiez-moi ça. Vous n'aurez qu'à déposer les fournitures chez la concierge. Vous aurez vos circulaires dans les quarante-huit heures.

Mlle Calien se leva. D'instinct, pour prendre congé, elle tendit la main trop haut, dans un geste bénisseur qui devait lui être familier. Mais elle s'en aperçut et, baissant le bras, m'offrit un décent shake-hand.

— A propos, dit-elle encore, je trotte un peu partout. Mais il y a un endroit et une heure où vous pouvez me voir à coup sûr : c'est au Centre social de Maisons-Alfort entre dix et onze. Le centre est logé dans le même immeuble que la Bibliothèque municipale, à côté du square. Au revoir, Constance. Non, non, ne vous levez pas...

Mais j'étais déjà debout et Mlle Calien ne put m'empêcher de la raccompagner jusqu'à la porte.

*

Cinq minutes plus tard, Mathilde rentrait en coup de vent.

— Bravo! Je reviens trop tard, mais tout va bien. Mlle Calien et moi, nous venons de tomber nez à nez, au coin de la Grande-Rue. Qu'as-tu bien pu lui raconter?

En tout cas, tu sembles avoir fait sa conquête. Mais quoi!
Tu sors? A cette heure-ci, toute seule! Ce n'est pas prudent, la nuit va tomber.

J'enfilais mon manteau, je saisissais mes cannes dans le
porte-parapluies.

— Je vais au lycée et, pour une fois, je prendrai un
taxi, lui répondis-je sans lui fournir d'autres explications.

Sur le palier, dans ma hâte, je faillis bousculer un
gnome tout gris, tout sec, à tête plate, aux prunelles noires,
menues comme des boutons de bottine et serrées dans
l'étroite boutonnière rouge des paupières. Je l'évitai de
justesse, ce damné père Roquault, mais je n'évitai pas sa
voix grinçante :

— Alors, Frasquette, on part en expédition? Ménage
tes papattes. Tu as une mine de chou-fleur, ma fille.

IV

La veille, le proviseur était absent : nouvellement nommé, il emménageait. Impossible de retourner au lycée le matin : Mathilde avait une commande à satisfaire. Enfin je réussis à m'échapper vers quatre heures. A Jean-Jacques Rousseau, le proviseur me fit attendre pendant quarante minutes pour m'expédier finalement au censeur, qui lui-même me remit entre les mains d'un vieux professeur chargé de tout ce qui concernait les anciens élèves. Celui-ci, par chance, se souvenait de Marcel. « Un garçon qui s'est permis de décrocher un trente-six de grec au bachot! » A cause du trente-six et malgré l'étrangeté de la requête, il ne refusa pas de me communiquer les adresses.

Onze, pas une de plus. Onze sur vingt-sept. Encore s'agissait-il de vieilles adresses qui pour la plupart dataient de dix ans et devaient être périmées. Un saut chez Milandre me permit d'en récolter une douzième, celle de Serge Nouy. Je savais vaguement qu'il habitait au bord de la Marne, depuis la guerre. Je me rappelais — aussi vaguement — le garçon carré, culotté de velours vert, qui parfois dans le métro m'empoignait par les cheveux et qui, plus tard, avait organisé une sorte de marché noir des devoirs (à cinq francs la version, Marcel se faisait de l'argent de poche. Mais Nouy la revendait dix). Luc ne voulait pas me donner son adresse.

— Ah! non, pas celui-là! Il n'a pas changé, le salaud!

Il a tenu ce qu'il promettait. C'était le plus immonde
trafiquant du coin.

Raison de plus pour le convoquer. Lui. au moins. il
aurait quelque chose à déballer. J'insistai auprès de Luc.
je finis par lui arracher quatre mots de la bouche : *avenue
des Canadiens, Joinville.*

De chez Milandre à la poste... « Il y en a pour trois
minutes », dirait le commun des mortels. Mais les notions
de temps doivent être revisées en faveur des paralytiques
et des escargots. Bien entendu, à mon arrivée. l'annuaire
était aux mains d'un voyageur de commerce qui pointait
une prodigieuse liste de numéros. Il grilla deux cigarettes
avant de me céder le bouquin. Quand j'eus fini moi-
même de le compulser, quand, satisfaite d'avoir découvert
cinq numéros (moyenne honorable, si le téléphone est un
signe extérieur de richesse), je m'avançai vers la préposée...
Drelin-drelin! La fermeture! Et pas question de séduire la
téléphoniste, cette caillette à bec pourpre qui déjà se dé-
pouillait vivement de son sarrau gris et filait vers quelque
rendez-vous.

« Tant pis! Allons chez Firmin, le bistrot-bougnat, en
face de la maison. » J'y courus... comme je sais courir.
Sept heures, toutefois, c'est l'heure de l'apéro. A l'heure
de l'apéro, le bar est comble et la cabine prise d'assaut.
Même en cas d'urgence — et il n'y avait pas urgence —
Firmin n'avait aucune raison de m'accorder un tour de
faveur, surtout pour cinq appels consécutifs. Aucune raison. vraiment : je ne prends pas deux fois par an l'apéritif et Mathilde achète son charbon ailleurs.

Le quart! Toujours pas de place. Le café se vidait peu
à peu, mais un mécano du garage contigu, client de choix.
qui par gloriole laissait la porte entrouverte, débitait
d'interminables fadaises à la petite bonne de Maillot 12-12.
La demie! Mathilde devait bouillir, là-haut, imaginer des
catastrophes, des bouillies de nièce ramassées à la petite
cuiller sous les roues jumelées d'un camion. Elle devait
se précipiter au moindre bruit vers le palier pour savoir
s'il s'agissait du toc-toc des cannes sur les marches.

*

Enfin, riche de cinq jetons, me voilà dans la cabine.
Je m'assieds sur ma combinaison, après avoir relevé ma
robe. Je compose mon premier numéro : Suffren 16-30.
Pas comme les nonchalantes qui lancent le chiffre avec
l'index et ne l'accompagnent pas jusqu'au bout. Ni comme
les snobinettes qui utilisent le médius, voire le petit doigt.
Je préfère le pouce, qui a de la puissance et mène les
choses à fond, lentement. Un peu lentement même. car
depuis quelque temps, chose étonnante, mes pouces deviennent raides et c'est peut-être la raison pour laquelle
je m'en sers : par représailles. Au fait, que vais-je dire?
Je n'ai rien préparé : on bafouille toujours quand on
veut à tout prix caser une tirade, au lieu d'exploiter les
chances du dialogue.

Le numéro n'est pas libre. Un coup de poing dans le
flanc de l'appareil qui hésite à restituer le jeton et j'appelle Central 85-05, qui décroche aussitôt.

— Allô! M. Jean Harac?

Gargouillis. Friture. Une voix émerge qui jette des « A
l'eau! A l'eau! » étranglés, fait répéter le nom, finit par
comprendre et soudain devient grave, embarrassée :

— Le lieutenant Harac? L'ancien locataire?... Comment!
Vous ne savez pas?... Mais, madame, c'était dans les journaux. Le lieutenant Harac était parti en Indochine, il y
a six mois, et il a été tué presque aussitôt dans l'attaque
du convoi Saïgon-Dalat.

Levons-nous. C'est le moins que nous puissions faire.
Je raccroche doucement, je reste une seconde immobile.
En voilà un qui a tout dit. Qui ne dira plus rien. Mais
il faut rappeler Suffren.

Sonnerie plus nette. Pas un cra-cra sur la ligne. Seconde voix de femme, pimpante celle-là et qui chante
allô comme *alleluia*.

— M. Gonzague Louet, s'il vous plaît.

— De la part de qui...? A quel sujet...?

— Mon nom ne vous dira rien, madame. Je suis la
sœur d'un ancien camarade de M. Louet. Je viens seulement lui rappeler un engagement qu'il a pris, il y a dix
ans, et qui arrive à son terme.

N'importe qui, même un sourd, surprendrait l'aparté,
prononcé de trop près : « Qu'est-ce que c'est que cette
emmerdeuse? » Le soprano cède l'appareil à une voix de
basse, très creuse, aussi creuse qu'elle se croit importante.
Avec ce genre de type que l'annuaire présente comme *audi-
teur au conseil d'Etat* ne parlons pas de la valeur, ni même
de la poésie des promesses juvéniles. Pas fondées en droit,
ces choses-là. Parlons plutôt de l'utilité des contacts...
Peine perdue! Je n'ai pas enfilé trois phrases que l'audi-
teur au conseil d'Etat m'interrompt sans courtoisie :

— Le serment de qui? Le serment de quoi? Voyons,
madame, je n'ai plus dix-sept ans, mais vingt-sept. Je suis
un homme sérieux qui s'occupe de choses sérieuses. Excusez-moi, je n'ai pas de temps à perdre à des bêtises.

Déclic. Dans l'écouteur renaît cette chanson de mous-
tique qui traverse le vide. Avec humeur, j'introduis
ce troisième jeton qui me permet de m'imposer un instant
à l'attention de Roquette 98-55 : Pascal Bellorget, *pasteur.*
Le succès, cette fois, est probable.

Encore une voix de femme. La femme, décidément,
c'est le filtre des intimités. Pourtant non, il s'agit bien
de la voix du pasteur, une voix de fausset qui n'a pas
d'onction et qui monte en chaire dès le premier mot, sans
aucune nécessité. Oui, oui, Pascal Bellorget se souvient
de... de ce projet. Projet sympathique, d'ailleurs, mais fait
sous une forme un peu théâtrale et qui, non-non, n'engage vraiment personne. Oui, pour revoir les camarades,
il ira sans doute à cette réunion... enfin, peut-être, car
le dimanche, n'est-ce pas, il a son office, son prêche, ses
audiences. Comme je lui parle, sans hésiter, de la mort
de Marcel pour l'émouvoir et le décider, il improvise les
commentaires élevés qui s'imposent, conclut en assurant

qu'il fera tout ce qu'il pourra. Et je raccroche avec un
soupir de pêcheur bredouille qui en fin de journée tire
de l'eau un gardon de cent grammes.

*

Huit heures et quart. Je sors enfin de la cabine, je paie
mon Vichy et je défile, en clopinant, sous les sourcils
froncés du bougnat. Nouy a répondu : « Non, je ne me
souviens plus du tout de votre truc... Mais, ma foi, c'est
drôle et si je n'ai rien d'autre à faire ce jour-là... » Je
ne peux pas deviner que ce « rien d'autre » aura de
l'importance. Quant à Maxime de Ray, sa mère « regrette qu'il soit parti chasser en Sologne ». Les résultats
sont minces et décourageants. Vieilles promesses, vieux
métaux. Seule une idiote comme moi peut y trouver matière à scandale.

Il n'y a plus qu'à traverser la rue. Le réverbère éclaire
en plein la façade de la maison, permet même de lire
la date de sa construction inscrite dans le fronton trian-
gulaire de la porte : 1794. Ma jeunesse, la jeunesse de mes
jambes doit dater de cette époque. J'envie le magnifique
aplomb des colonnes Directoire qui soutiennent l'entrée et
je jette un coup d'œil hostile à ma bancaline, rangée sous
l'escalier entre deux landaus. Je me traîne, ce soir. Une
bonne migraine me couronne la tête. Une névralgie sourde
en descend, se faufile jusqu'à l'épaule droite. Pourquoi
l'épaule? Ce doit être une idée. As-tu fini de te plaindre,
ma fille? Allons, marche! Pas de pitié pour les canards
boiteux! Allons, grimpe! On t'autorise à te servir de la
rampe, parce que tu as beaucoup trotté aujourd'hui. Dé-
pêche-toi. Mathilde va certainement faire la tête.

En effet! J'arrive, suante, au palier. Ma voix de petite
fille me précède :

— Je suis un peu en retard, tantine...

Mathilde ne répond pas. Elle a dîné et ostensiblement

laissé sur la toile cirée les deux assiettes qui contiennent
ma soupe et ma part de haricots. Son regard m'évite.
Son « avant-scène » roule à droite et à gauche sous la
poussée des soupirs : indice de haute réprobation. Elle
ne tardera pas, d'ailleurs, à gagner sa chambre après
m'avoir grogné un bonsoir très rogue.

Moi aussi, j'irais bien me coucher. Mais il n'en est
pas question. Il faut collationner le travail de ma tante
qui ne doit pas souffrir de mes équipées. Il faut taper une
note, destinée à rafraîchir la mémoire de tous les anciens
qui n'ont pas le téléphone ou qui habitent en province.
Il faut enfin terminer la besogne que m'a confiée Mlle Calien.

Tout en mangeant, je commence à sténographier, péniblement. *Cher camarade.*. Epaule engourdie, doigts de
bois. Je secoue la main... *Nous te rappelons qu'à l'issue
de notre oral de philo nous avions pris l'engagement de
nous réunir, dix ans plus tard...* La soupe est froide. Faut-il
que Mathilde soit en colère pour ne pas l'avoir fait réchauffer!... *Nous nous retrouverons donc le 14 novembre à seize heures sur la terrasse du...* Les signes que
trace mon crayon sont mal fichus, à peine lisibles. Voilà
que mes yeux papillotent. Quelle chiffe je suis! Pourtant,
malgré ce barbu de Rénégault qui m'ordonne douze heures
de lit par jour — je voudrais l'y voir, lui! — malgré le
père Roquault qui à trois reprises tapera dans la cloison,
malgré moi, qui ai tellement envie d'être lâche, l'Underwood crépitera, la ronéo tournera jusqu'à minuit.

V

Un ciel blanchâtre, où frisaient de lents tourbillons gris, renversait sur la banlieue son immense chrysanthème. La pluie — qui ne nous avait pas empêchées de nous rendre la veille, Mathilde et moi, au cimetière du Chemin-Vert où reposent nos morts, ramenés de Normandie — la pluie n'était plus qu'un crachin, tombant par nappes et que le vent me soufflait au visage en molles rafales de vaporisateur.

Je sortais de Sainte-Agnès. Depuis ma première communion (qui fut d'ailleurs une concession à l'usage, une façon de marquer le coup en l'honneur de ma première décade, un prétexte à toilette et à gueuleton), je n'ai jamais fourré les pieds dans une église à titre de fidèle. Pourtant j'ai souvent fait halte dans celle-ci. Pour m'isoler. Pour reprendre haleine. Pour réchauffer mes yeux à l'étonnante splendeur des verrières de cette Sainte-Chapelle moderne. Depuis notre ruine, j'ai le vice de certains pauvres, dont la pauvreté reste exigeante et se rabat sur les monuments publics. J'aime me sentir riche d'une beauté qui m'est étrangère et dont la propriété ne m'alourdit pas.

Le porche franchi, j'avais retrouvé ma voiturette rouillée et je dévalais une fois de plus le quai d'Alfort, qui mène au Centre social du square François. Recroquevillée dans mon imperméable luisant d'eau, je tournais posément les manivelles. Oui, posément. Excuse officielle : ménageons nos forces puisque d'autres que nous en ont désormais besoin. Excuse réelle : des mains gourdes, des biceps de coton qui depuis quelque temps trouvaient pénible le « moulin à café ».

Exceptionnellement — et sans doute parce que, la veille, au cimetière, mes souvenirs s'étaient réveillés — je consentis à tourner la tête en passant devant *la maison*. Notre maison. Celle que j'appelle « la maison des trois morts et demi ». Me croira qui voudra, je ne l'avais jamais regardée depuis des années. En la revoyant, je respirai. Le nouveau propriétaire l'avait fait surélever. Ce vandale avait transformé le toit en terrasse, changé la grille, barbouillé la façade d'un rose vineux. Heureux sacrilège! Nul n'avait conquis mon grenier, joui après moi de l'obstination des oiseaux, de l'odeur de plume et de foin dégagée par leurs nids sous les solives, des filtres à poussière tendus par les toiles d'araignée, des épingles de bois disposées comme des notes sur la portée du séchoir. J'étais bien bête d'avoir peur. Malgré sa pierre et son poids, elle avait filé, la villa de ma jeunesse ingambe. Les maisons elles-mêmes n'acceptent pas de rendez-vous, pour dix ans plus tard. Les choses ne sont pas plus fidèles que les gens. Je repartis plus vite. Trop vite. Si bien qu'en arrivant au Centre j'eus un éblouissement et dus souffler une minute avant de gravir le perron.

*

Une infirmière et la femme du gardien me saluèrent, l'une d'un clin d'œil, l'autre d'un bref plongeon du nez, avec la négligence des personnes affairées qui croisent une collègue. On commençait à me connaître, au Centre, depuis un mois. Malades, ou solliciteurs eux-mêmes, du moins les abonnés m'offraient ce bonjour obséquieux, agaçant, qu'ils réservent aux distributeurs de manne et à leurs acolytes. Sauf de rares gaffeurs, nul ne s'empressait plus pour m'aider et on me laissait glisser seule sur les dalles

du couloir où mes cannes, garnies d'embouts de caoutchouc, laissaient des ronds humides.

J'ouvris sans frapper, en lançant dans la pièce un « salut » laconique, à partager entre les occupants. Mlle Calien, éternellement chapeautée, était assise à son bureau,
songeuse, l'index fourrageant dans le tuyau de l'oreille.
Derrière elle, debout, se tenait sa collègue de Créteil,
Mme Dugas, une petite femme rousse dont les cheveux
incendiaient les épaules.

— Une chance! Justement, la voilà.

On devait parler de moi. Quésaco? J'avais pris soin
d'entrer sans mon matériel, abandonné contre la porte
Un paquet dans une main (mon travail) et de l'autre prenant directement appui sur la cloison, je glissai vers le
bureau. Mme Dugas, croyant bien faire, amorça le geste de
pousser une chaise dans ma direction. Mlle Calien, plus
fine — ou mieux renseignée, — lui prit le poignet : ce
n'est pas, en effet, le genre d'attentions qui me fait plaisir.

— Pas foule, ce matin, observai-je.

— Non, fit l'assistante, mais un problème insoluble
prend plus de temps à lui seul que vingt affaires cou-
rantes... Bonjour, Constance. Oh! comme vous avez la
main chaude!

— Voici vos fiches, mises à jour. Ce n'était pas sorcier.

— J'aurais peut-être mieux, aujourd'hui, à vous offrir.

Elle me l'avait déjà dit vingt fois. Mais les deux femmes
se regardaient d'un air bizarre. Leur silence était instruc-
tif. J'eus tout le temps de me pencher, de voir ce dossier que Mlle Calien feuilletait nerveusement et dont la
chemise de cartoline rose portait simplement un nom :
Alanec Claude, tracé au crayon rouge. Dossier rose : un
enfant. Crayon rouge : un malade.

— En définitive, Marie, que pouvons-nous faire? murmura Mme Dugas, qui faisait tourner son alliance autour
de son doigt.

— Rien.

Question et réponse donnaient l'impression d'avoir été
préparées à l'avance. Marie Calien repoussa le dossier. Je

venais de poser une fesse sur le coin du bureau. Je pointai
l'index.

— Peut-on savoir?

— Il s'agit d'un enfant de cinq ans, atteint d'une
maladie de Little.

Little... Ça ne me disait rien. L'assistante se leva.

— Au fait, Geneviève, nous ne pouvons pas le laisser
indéfiniment dans la salle d'attente, avec sa mère. Il faut
leur dire ce qu'il en est et les renvoyer chez eux.

Le scénario se déroula sans anicroche. Trois secondes
plus tard les acteurs sortaient de la coulisse. La mère
parut d'abord. Sous le couvercle d'un chapeau-cloche d'où
s'échappait une maigre vapeur de cheveux, sa tête ronde
de Bretonne ressemblait à un légumier. Elle portait un
affreux trois-quarts verdâtre, jeté par-dessus la blouse de
satinette noire à petites fleurs mauves qu'affectionnent les
femmes de la campagne. A l'insistance de son regard et
de son sourire, je compris aussitôt ce qu'elle attendait de
moi. Mes sourcils protestèrent : je n'aime pas qu'on me
force la main. Mais déjà l'enfant s'avançait, tanguant,
flageolant, soutenu dans le dos par Mlle Calien. Les genoux collés l'un contre l'autre, les jambes écartées, fléchies
en équerre, les pieds rentrés en dedans, il ne touchait
le sol que par l'extrémité de la chaussure. Le menton
fiché dans la poitrine, il ne parvenait pas à soulever sa
tête, ce qui l'obligeait à regarder par en dessous et mettait
en relief la raie très droite, très blanche qui divisait ses
cheveux d'un blond fade. Bien tenu, poupin, sanglé dans
un tablier de toile grise à liséré rouge, il ressemblait pour
le reste à tous les autres gamins et ne devait pas éveiller
l'attention quand il était couché. Habitué sans doute à
passer entre les mains des médecins, il ne manifestait
aucune inquiétude et tenait devant lui, comme une courte
lance, une sucette encore enveloppée de papier de cello-
phane. Cependant Mlle Calien regagnait son bureau, prenait le gosse sur ses genoux.

— Résumons la situation. Vous êtes, madame, seule avec
cet enfant...

« Oui ». avoua le chapeau-cloche, tandis que Mme Dugas branlait aussi le chef, approuvant l'euphémisme. *Seule avec un enfant*, c'est-à-dire en langage charitable : fille mère.

— Vous habitez ici et vous étiez plongeuse dans un restaurant populaire du XIIIe où vous pouviez emmener le petit. Mais cette maison va fermer dans quinze jours. Mme Dugas vous a trouvé une place similaire à Créteil, où vous débuterez le 20 novembre. Malheureusement, Claude n'y sera pas toléré. Vous n'avez ni parents ni voisins qui puissent se charger de lui dans la journée. Vous ne pouvez pas payer une garde et vous ne voulez pas le mettre dans une institution...

« Non », fit la mère, toujours silencieuse, mais secouant la tête et la main. Mme Dugas prit le relais.

— Bref, vous nous avez demandé de trouver aux environs une œuvre susceptible de vous le garder, six jours sur sept, de dix heures du matin à neuf heures du soir. A première vue, je vous ai répondu que ce serait difficile. Une œuvre peut en effet le prendre en charge, mais pas à moitié. Quant à trouver une personne...

Mme Dugas laissa l'hypothèse se dissoudre dans l'air. Malgré ce souci de tactique, le problème était clair, l'invite pressante. Epaisse, inerte, incapable de former une phrase digne d'être jetée dans ce débat d'où dépendait son sort, Berthe Alanec nous regardait l'une après l'autre. L'enfant léchait sa sucette, à petits coups. Maussade, perchée sur mon coin de bureau, je ne bougeais pas. Par loyauté (et par habileté : il n'est jamais vain de faire appel à l'esprit de contradiction) Mlle Calien se fit l'avocat du diable :

— Il ne faut pas songer à un particulier. Les gens qui adoptent des enfants malades sont déjà rares et ceux qui le font ont tout de même une satisfaction : ils s'assurent l'exclusivité d'une tendresse. Mais là! Soigner un enfant, supporter tous les désagréments de son état... pour le rendre tous les soirs à sa mère! C'est trop demander. D'au-

tant plus que le pronostic de la maladie de Little est
toujours réservé...

— Ça, c'est un détail.

Je rougis aussitôt, dans le silence meublé d'engageants
sourires. Je me gourmandai, furieuse. Voilà bien de tes
tours, imbécile! Tu parles toujours trop vite. Ce bout de
phrase, que tu postillonnes si facilement, va être inter-
prété comme une acceptation. Zut et zut! Tu n'as pas du
tout envie de ce moutard. Le projet te flatte, oui. Faut-il
que tu en aies fait des progrès, depuis un mois, dans
l'estime de ces dames! Mais ton petit orgueil fait peu de
cas de sa gloire et n'aime point trop qu'on le soupçonne
d'héroïsme. Surtout de cet héroïsme-là : je ne fais pas du
dévouement comme d'autres font de la gourmandise. Je
fais du... Ma foi, je ne sais pas trop ce que je fais. Mais
le plus clair de l'histoire, c'est que cette idée ne vient pas
de moi, qu'on me la suggère. Et avec quelles précautions!
Ah! vous voulez surprendre mon humeur, mesdames! A
moi de jouer.

— Si je comprends bien... commençai-je, sans trop savoir
où j'allais.

Le sourire de ces dames devint béat, béat... Alors, soudain, je mis le cap sur l'ironie et je leur criai, en mon-
trant mes jambes :

— Si je comprends bien, vous voulez me faire cadeau
de ce que j'ai déjà.

— Mais, ma petite fille, nous ne vous avons rien
demandé...

La moue de Mlle Calien était si piteuse que je me
sentis misérable. Je me hâtai d'ajouter :

— Seule, j'accepterais volontiers. Mais ma tante...

Belle excuse! Je m'abritais derrière Mathilde avec un
beau courage! Et bien vainement : elles n'ignoraient pas,
l'une et l'autre, que Mathilde crie toujours et finalement
fait ce que je veux. Je savais bien ce qu'elles pensaient :
« Cette petite! Elle blague nos routines, elle n'a jamais
assez de travail, elle veut tout casser. Pour une fois que
nous la mettons au pied du mur... Pfuitt! plus rien. Elle

ne croyait pas que nous serions assez ingénues pour croire
en elle, pour lui offrir autre chose que de la paperasserie.
Nous l'avions bien surfaite! » Ulcérée, je faiblissais. Je me
rapprochais du pire des consentements : le oui tardif, le
oui honteux. Mon ange gardien (je veux dire mon orgueil,
manager plein d'astuce) contre-attaqua bien vite : « Attention! Ne fais pas du respect humain pour le bon motif.
Par lâcheté, on ne choisit pas le courage. *Attendre* est un
verbe honorable. ».

— Ça peut s'arranger, fis-je enfin, d'une toute petite
voix.

— Vous n'êtes tenue à rien, Constance! répondit
Mlle Calien, sans lever les yeux.

Puis elle enchaîna, très haut :

— Madame Alanec, il y a une dernière solution : c'est
de placer Claude dans une institution où vous seriez
vous-même employée. Nous ne la trouverons pas aisément. A tout hasard, vous allez me donner divers renseignements qui me manquent... Dites, Constance! Il ne
pleut plus. Ce gosse se trémousse sur moi comme un ver.
Il s'ennuie. Si vous lui faisiez faire un tour dans le
square...

Je lui jetai un regard reconnaissant parce qu'elle n'avait
pas ajouté : « Je vous le demande à titre d'essai. Il faut
bien que je sache si vous pouvez vous débrouiller. » En
trois secondes de réflexion, je venais de trouver une méthode, qu'il serait toujours temps d'améliorer par la
suite : « Chercher un appui du côté gauche : soit sur un
mur, soit sur un meuble, soit sur une canne. Mettre le
petit à ma droite. Le tenir par l'épaule et me pencher sur
ma gauche, afin de le soutenir tout en me servant de lui
comme contrepoids. »

L'enfant ne fit aucune difficulté. La démonstration
réussit. Evidemment le tandem manquait d'élégance et
Mme Dugas, d'abord effarée, eut le tort de sourire et de
proclamer : « Elle s'en tire très bien! » Que supposait-
elle donc? Que j'allais m'étaler? Je m'éloignai, furieuse.

*

La première phrase de l'enfant ne m'irrita pas moins.
— Toi aussi, t'es infirme, dit-il au moment où je laissais
retomber le portillon du square.

Il prononçait *infime* pour *infirme* : ce qui n'arran-
geait rien. Mais je lui sus gré de l'intention : « C'est
une gentillesse qu'il a voulu me dire, cet innocent. Patte
folle et patte molle, nous sommes tous deux de la famille
Tordue. Il sent ça comme un trait d'union. » Je l'em-
brassai, non sans mal, car il fallut me pencher et cette
gymnastique pouvait nous mettre par terre. Puis nous
repartîmes, lents et gracieux comme des canards. Je lus
avec plaisir l'inscription du monument élevé à la mémoire
de Henri François, l'artificier *qui désamorça un dispositif
destiné à faire sauter onze cents tonnes de munitions lais-
sées par l'ennemi, évitant ainsi une catastrophe à la commune.* Cette nouveauté ne déparait pas le jardin qui avait
été mon quartier général de gamine. Je retrouvais ses
bancs de ciment blanc, la fontaine carrée, les pancartes
intelligentes piquées sur le gazon et où il n'était point
écrit « Interdit », mais « Placé sous la sauvegarde du
public ». Seule avec cet enfant dont les pas devaient tout
à mes pas, je retrouvais aussi mon assurance. Un incident
faillit pourtant tout remettre en question. Comme nous
allions, clopin-clopant, atteindre la terrasse parallèle à
la Marne, deux collégiens qui galopaient de concert à
travers les allées s'arrêtèrent net derrière nous et le plus
jeune poussa le coude de l'autre en criant :
— Hé! Vise la mère-banban avec son môme-banban.
Ils sont chouettes tous les deux!

Je frémis de la tête aux pieds, je me précipitai vers le
premier banc, je ne respirai qu'une fois réfugiée dans cette
position assise qui nous rendait normaux, l'un et l'autre.
Tout devenait très facile à comprendre : « C'est donc ça!

Voilà pourquoi j'hésitais. J'ai peur de ce gosse, parce qu'il m'affiche. » L'indignation suivit, presque aussitôt : « J'ai honte de lui. Donc, j'ai honte de moi. » Cinq minutes plus tard, j'éclatais de rire. « Alors, Constance, on fait de la susceptibilité? Rien de meilleur pour la guérir que de la froisser une fois pour toutes. Tremble, ma vieille, car je vais te jouer un tour de ma façon. »

Sur ce j'attirai Claude contre moi et me mis à fredonner. *T'en fais pas, la Marie...* Mais j'éternuais à chaque refrain, je nasillais éperdument. Dès mon retour, Mathilde se mit à secouer le thermomètre. Je tremblais, en effet. Je tremblais de fièvre.

VI

Je reboutonne ma chemise de nuit, en observant « le bouc », alias Rénégault. Il a blanchi, depuis le temps où il venait chaque semaine s'installer à la table de jeu, en face de la calvitie paternelle. Toujours aussi bourru, aussi mal embouché, il sifflote dans sa barbiche en rangeant sa trousse, griffonne une ordonnance, peste contre son stylo et, soudain, éclate, prend Mathilde à témoin :

— Sa grippe, je m'en fous! Goménolez, ventousez-moi ça. Mais je me demande comment on peut se saboter avec autant de plaisir. Ça fait trois ou quatre fois que je la rencontre dans la rue, la donzelle, sous la pluie, avec un bout de canne dans la main et trottant hardi petit! Quand elle est dans sa voiture, c'est tout juste si elle ne grille pas les taxis. Je parierais qu'elle ne porte même pas de gaine. Quant à ronfler douze heures, pas question, n'est-ce pas! Elle pourrait engraisser!

Mathilde secoue son chignon, approuve impétueusement :

— Vous connaissez, docteur, sa dernière invention?... Il paraît que nous allons garder un enfant malade.

— Hein? fait Rénégault.

— Oui, reprend Mathilde en agrippant un bouton de sa veste. On s'occupe d'œuvres, maintenant. Depuis un mois. Depuis la visite de Mlle Calien... En voilà une, entre parenthèses, à qui je dirai ce que j'en pense. Je lui demande d'aider la petite, de me la désennuyer...

— ... Et elle la fait turbiner!

Rénégault ricane, se reprend, murmure pour lui-même :
« Dans un sens... », puis lance son bouc en avant d'un air
furieux, parce que je viens de lui faire un clin d'œil
complice.

— Fais l'imbécile, ma cocotte, et nous verrons ce qu'il
adviendra du joli boulot qu'ont réussi mes confrères du
côté de ta neuvième dorsale. Tu ne t'en rends pas compte,
mais tu as eu une sacrée veine d'en réchapper et surtout
d'arriver ensuite à retricoter des pattes.

Rénégault se glisse un doigt dans le nez, l'en retire, le
pointe dans ma direction. Innocente, impassible, sage à
gifler, je retire mon drap avec beaucoup de conviction.

— Tu ne peux pas espérer mieux. Mais tu peux espérer
pis. Sois très diplomate avec ta moelle. Les moelles qui
ont été caressées comme la tienne restent extrêmement susceptibles. Je n'aime pas du tout tes migraines, ni cette
gêne que tu ressens dans les mains depuis quelque temps.

— Finie, la ronéo, décrète Mathilde. Finie, la machine
à écrire.

Rénégault jette un coup d'œil circulaire, bougonne
encore :

— Pas gaie, ta chambre! Comment peux-tu vivre là-
dedans?

Il devrait pourtant se souvenir de la nursery du quai
d'Alfort. C'était une pièce plus riche, mais déjà nue,
interdite aux poupées. Il y est entré pour soigner l'otite
d'une gamine qui mit un point d'honneur à subir la
paracentèse sans pousser le moindre « Ouille! » et qui
eut le toupet, ensuite, de lui adresser un « Merci, docteur! » prononcé avec une gravité d'infante.

— Je m'en vais, conclut-il. Tâche de nous foutre la
paix. Je n'ai aucune envie de te revoir sur un matelas
d'eau et d'être obligé de venir tous les jours te faire pisser
à la sonde.

Va bêler plus loin, vilain bouc! Si tu ne me fais pas
peur, tu arrives à me faire honte. Je baisse les yeux. Je
revis, une seconde, cette horrible épreuve, cette époque

— heureusement un peu nébuleuse — où je me sentais coupée en deux, où je ne vivais plus que la moitié de mon corps, ignorant tout de cette autre moitié, malodorante, bestiale, sur quoi se penchaient les mines dégoûtées des infirmières armées d'éponges et de boîtes de talc. Redevenir ça... non, non!

Mais le médecin est parti, son pas décroît dans l'escalier. Mathilde renverse la vapeur.

— Quel ours! Ne te frappe pas, voyons, mon petit, tu seras guérie avant huit jours.

Je rouvre les yeux. Mathilde déchiffre l'ordonnance, à bout de bras, car elle devient presbyte. Mes doigts bougent sur le drap. Huit et quatre, douze. C'est le quatorze qu'a lieu la réunion. C'est le vingt que Claude arrive. Ça ira

VII

Bien que mon épaule droite se fut mise à enfler, sans raison apparente, je me levai dès le huit. Le surlendemain, je faisais une première sortie entre une Mathilde ronchonnante et un Milandre épanoui. Le onze, je me réinstallais sur le tabouret, en face de l'Underwood. Mathilde ne put s'interposer : elle venait de prendre la succession de ma grippe et criait en vain, du fond de son lit.

Du reste, l'avis de ma tante ne pouvait rien contre l'urgence. Le matin même était arrivée une lettre d'un certain André Carmélie, ancien élève de Jean-Jacques Rousseau, qui ne figurait pas sur les listes de convocation et dont Milandre ne se souvenait guère. Sans doute un autre camarade, resté en relations avec lui, l'avait-il prévenu. En tout cas sa lettre était pertinente. Il faisait remarquer qu'une réunion, tenue dans un café qui n'a point de salle réservée, présente de nombreux inconvénients, que le dimanche la terrasse serait comble, qu'on ne pourrait pas s'entendre et qu'il serait peut-être même difficile de se reconnaître parmi la foule. Il proposait un rendez-vous général dans l'arrière-boutique de sa librairie du boulevard Saint-Germain, où nous aurions de la place et la tranquillité désirable. « Deux autres camarades, ajoutait-il sans donner les noms, sont d'accord. » Cette initiative de dernière heure, qui m'échappait, me gêna bien quelques minutes. Mais, après tout, ces gens-là avaient raison et je

n'avais aucune qualité pour en décider autrement : cette
réunion était la leur, non la mienne. Au surplus, si je
m'intéressais à cette affaire, sans trop savoir pourquoi,
j'étais loin d'en prévoir les suites et le « siège » de ma
tante, en faveur de Claude, était alors ma principale
préoccupation. A titre de contrôle, j'expédiai Luc boulevard Saint-Germain. Parti sans enthousiasme, il revint
très excité. Dans sa boutique et dans la salle contiguë,
Carmélie accrochait des toiles. Luc, refusé par toutes les
galeries, parlait déjà d'exposition. En deux heures, il
devint le plus fanatique partisan d'un « rapprochement
entre les copains ». Le plus intéressé, bien sûr, mais qui
ne l'est pas? Que peut-on faire avec des gens qui ne le
sont pas? Ne l'étais-je pas moi-même, d'une façon obscure? Les petits ruisseaux se réunissent pour faire tourner
les grands moulins. Je laissai la Chouette ululer sa nouvelle chanson et rédiger lui-même la circulaire rectifica-
tive.

Le 14 novembre, ce fut encore lui que je déléguai au
déjeuner offert aux anciens par le proviseur de Jean-
Jacques Rousseau et où nulle femme ne pouvait figurer.
Il avait pour mission de rabattre le plus de monde possible, puis de sauter dans un taxi et de venir me chercher
pour me conduire chez Carmélie. Pas question en effet
d'aller boulevard Saint-Germain dans ma petite voiture!
Ni d'emmener mes béquillons! Milandre me donnerait le
bras, afin de me permettre d'entrer bien droite dans la
boutique. Un homme grand, à grosse voix, est plus per-
suasif qu'un autre. Au contraire, quand on ne le connaît
pas, un infirme semble un être incomplet et tout ce qu'il
dit semble aussi incomplet, comme si d'un être diminué ne
pouvait jaillir que des vérités diminuées, comme si sa
pensée était aussi débile que son corps. Ce réflexe-là, chez
des inconnus, m'a trop souvent fait enrager. Mais on peut
provoquer la réaction inverse : celle du sifflotement. Les
bons ballots à qui vous avez arraché un certificat d'estime
primaire, un « Bien, cette fille! » sont tout prêts à bayer
d'admiration dès qu'ils s'apercevront que vous êtes cul-de-

jatte et que vous exaltez vos petits déchets. A vrai dire
l'admiration (de cette qualité-là). je m'en fous : c'est un
sentiment d'aussi basse extraction que la jalousie (mais il
est tout de même moins pénible).

*

Trois heures. Voici Milandre, qui a pour une fois
troqué son blouson maculé de peinture contre un de ces
costumes verts de confection dont le carreau du Temple
inonde les banlieues. Moi, j'ai mis ma robe de laine
grège, qui me grossit. Pas de rouge, pas de poudre, pas
de bijou, pas de colifichet, pas d'indéfrisable-mouton. Dieu
merci, je ne me suis pas assise sous l'affreux appareil qui
ressemble à une trayeuse électrique. Dévale mon foin,
à peine trié à longs coups de peigne! Jambe nue dans le
soulier plat. Sur le bras droit, un imperméable plié en
deux. J'offre aussitôt le gauche à Milandre, qui commence
à débiter son rapport :

— Très peu de monde, tu sais, et pour la plupart des
types sortis depuis quatre ou cinq ans. Ceux d'avant la
guerre. on dirait qu'ils habitent une autre planète. Du
cours, moi compris, on s'est compté sept : Bellorget, Nouy,
Mohal, Garlemont, Carmélie et Thiroine... Thiroine,
encore un qu'on n'avait pas convoqué.

Ce « on » me fait sourire. Bon! Luc aura bientôt
monté toute l'affaire. Tandis que nous nous engouffrons
dans un vieux taxi jaune, il continue :

— D'après le proviseur. le cours 1938 n'a pourtant que
trois morts : ton frère. Georges Guillon. qui était tubard,
et Jean Harac. qui vient de se faire descendre en Indochine. Il n'y avait pas un provincial. Sauf Ray, personne
n'a daigné s'excuser. On sera encore moins chez Carmélie :
Mohal et Garlemont n'iront pas. Mohal, qui est député
à l'Assemblée algérienne, prend l'avion de cinq heures à
Orly. Quant à Garlemont, il m'a dit qu'il était seulement

revenu voir le bahut, qu'il se foutait des anciens comme
des bizuths, qu'il ne conservait de relations qu'avec les
amis qu'il a eus ensuite à Centrale. Il n'a pas osé dire :
avec les plus utiles, mais tout le monde l'a compris. L'oiseau est sorti major, il est déjà directeur de la Société
chimique de France et je te dis qu'il se gobe!

Milandre bavarde, bavarde. Il apprécie, il tranche, il
décortique tous les copains. Pas un sou de méchanceté.
Mais on dirait qu'il ne peut admettre les valeurs qui sou-
lignent sa nullité. Celui-ci, quand il aura renoncé à son
œuvre, pourra faire carrière dans la critique d'art et passer
pour génial en démolissant ce qu'il n'a pu construire.
Brusquement, il change de sujet, lance ce coq-à-l'âne
inattendu :

— Tu as entendu la T. S. F.? La princesse Elisabeth
est en train d'accoucher. Je parie pour une fille.

Le pari aussi est une de ses manies. Une minute plus
tard, il parle des prochains six-jours de Bruxelles et parie
pour Kint-Van Steenbergen. Je n'écoute plus son mono-
logue, je ne place pas une syllabe. Je n'ouvrirai la bouche
qu'à l'arrivée, pour répondre à une dernière réflexion de
Luc.

— Nous allons être en retard. Les autres sont allés
directement chez Carmélie.

— Tant mieux, nous n'aurons pas l'air d'être les orga-
nisateurs.

Milandre me regarde, incapable de comprendre ce souci.
En descendant de taxi, j'ajoute :

— Tu me laisseras dans mon coin après m'avoir pré-
sentée. Et surtout pas une allusion à mes jambes.

Les volets de la boutique sont fermés, mais la porte est
grande ouverte. J'entre, raide, la main sur l'épaule de
Luc : ça fait copine, ça ne fait pas fiancée. J'essaie même,
une fois dans la place, de lâcher l'épaule pour m'accrocher
aux rayons, mais ils sont trop éloignés. Il faut agripper
de nouveau le complet vert, au moment où une jeune
femme très brune, du type Saint-Germain-des-Prés,
s'avance vers moi en se dandinant sur de hauts talons,

accessoire féminin qui contraste avec sa blouse, son pantalon noir et sa queue de cheval ficelée sur la nuque.
— Bertille Carmélie.

Elle doit s'appeler Berthe. Je secoue les deux doigts
qu'elle m'offre. Puis je fais six ou sept pas, je plonge dans
un mélange d'ombre, de voix et de fumée. Cette arrière-
boutique mal éclairée, c'est la salle à tout faire du libraire
besogneux qui cherche désespérément des à-côtés lucratifs :
le hall pour exposition payante de croûtes, le cénacle
pour récital de poèmes confidentiels, la chambre à coucher de secours (il y a un divan dans un coin), l'atelier
de typographie pour revue de jeunes (une presse à bras gît
dans un autre coin), la salle d'attente de la réussite.
Comptons, comptons nos hommes. J'en vois six campés
sur des chaises dépareillées. Six, dont Luc. Plus trois
femmes, dont moi-même. Nul ne s'est levé. Comme je ne
tiens pas à faire le tour de la pièce en traînant la jambe,
je me contente de serrer la main la plus proche, sans bouger. Puis je pivote, le regard tombant de haut, le bras
tendu à la ronde, en répétant mon nom. « Bellorget! Carmélie! Nouy! Thiroine », répondent-ils. Le dernier, c'est
Rénégault, le fils du docteur; il fait partie du cours 36,
mais Milandre a dû le racoler pour faire nombre. Enfin
il y a Mme Thiroine, somptueuse, minaudière, noyée dans
ses fourrures et ses parfums. Mme Thiroine dont la
menotte, où flambent trente-six faux carats, tâte et retâte
une mise en plis acajou. Celle-là, je la salue d'un plongeon
du nez, qu'elle ne me rend même pas. J'ai pu empoigner
une chaise et je reste debout, appuyée sur le dossier. Personne ne semble faire attention à moi. Voilà qui est pratique pour observer, mais aussi bien vexant.

Trois groupes se sont formés, selon les affinités de
chacun. Le négoce rassemble Nouy, Thiroine et Carmélie,
qui mènent grand bruit autour de leurs petits problèmes.
Le pasteur Bellorget converse calmement avec Rénégault
fils, médecin comme son père. Moins timide que réservé,
retiré derrière ses lunettes, Bellorget n'a pas sa voix de
téléphone, mais une autre, plus sifflante. Bertille Carmé-

lie, beaucoup plus popote que son uniforme Saint-Germain
ne le laisserait croire, échange des recettes avec la Thiroine, en versant une mixture rougeâtre dans dix verres
dépareillés dont les inscriptions proclament qu'il ont été
élégamment chipés dans les brasseries voisines Luc pa-
pillonne d'un groupe à l'autre. Comment entrer en scène,
me glisser parmi ces gens pour qui je ne suis rien d'autre
que la sœur anonyme d'un camarade mort, du seul camarade (circonstance aggravante) qui se soit fait tuer pendant la guerre?

— Dites donc, mademoiselle Orglaise!

Sans doute Carmélie vient-il de s'apercevoir que je
fais tapisserie. Cette façon de me héler est un peu cavalière.
Mais l'intention doit être secourable. Je glisse vers lui,
appuyée sur ma chaise comme sur une canne, avec assez
de négligence pour qu'on puisse croire que j'ai seulement
l'intention de la déplacer.

— Vous avez bonne mémoire, mademoiselle Orglaise.
Je ne me souvenais plus du tout de ce machin-là, mais il
m'a intéressé tout de suite. Des contacts avec tout le
monde, le quartier veut ça et c'est mon métier de les
provoquer. Plus il y a de mouvement dans une librairie,
mieux elle marche.

L'intérêt lui empâte la bouche. Petit, camus, frétillant
de la patte, il fait son beau entre Nouy et Thiroine,
comme un roquet entre deux dogues. C'est donc ça! Il nous
a invités ici pour épaissir éventuellement sa clientèle.
Pourtant ceci n'est rien encore : du dépit, on me pousse
dans le dégoût. Thiroine, l'homme dont on ne sait rien,
sinon qu'il fut un cancre aux doigts violets et qu'il promène aujourd'hui une gueule de singe supérieur à qui
l'esprit serait venu en même temps que les millions, Thiroine avance une moue dédaigneuse que prolonge une
Chesterfield.

— Il ne faut rien négliger, en effet, dit-il. Bien qu'en
fait de relations, il faut l'avouer, le cours soit assez
minable. J'espérais mieux.

La jolie paire! Avec une condescendance qui frise la

muflerie, Thiroine m'accorde trois répliques, puis s'éloigne, me tenant pour négligeable. Carmélie, qui a au moins l'excuse d'être le maître de maison, navigue dans son sillage. Mais Nouy demeure et m'étonne. Une paupière fermée, il me regarde d'un seul œil, foré comme un trou de ver dans la pomme ronde et rubiconde de la tête. Pourquoi, soudain, ai-je envie d'attaquer?

— Vendez-vous encore des devoirs, monsieur Nouy?

Nouy ne bronche pas. Un sourire, en coup de couteau, fend la pomme en deux.

— Le devoir coûte trop cher, ces temps-ci.

Un temps. Puis il ajoute, d'une voix très étudiée :

— Et les riches n'en achètent pas.

Un second temps. Enfin il rouvre la bouche pour parler comme le Nouy de tous les jours.

— Assieds-toi donc, Constance. Oui, je ne vois pas pourquoi je t'allongerais du mademoiselle parce que je n'ai pas eu l'occasion de te tirer les cheveux depuis dix ans. Je te connais mieux que tu ne penses. Nous sommes presque voisins et je te rencontre parfois en train de tourner la manivelle de ta petite voiture.

L'animal, qui a des yeux et de la repartie! Je ne m'assieds pas. Je réplique vivement :

— Tu dois être en auto, car moi je ne t'ai jamais vu. Il est vrai qu'on m'a parlé de toi.

Nouy ricane, se balance d'un pied sur l'autre.

— En bonne part, je m'en doute! Ce bon salaud, hein! Ce trafiquant qui a fait sa pelote dans toutes les combines! Ecoute, Constance, il y a une chose certaine : je suis né pauvre, je sais ce que c'est, je n'avais pas envie de le rester. On est pauvre parce qu'on le veut bien.

— Ou parce qu'on le peut!

Nouy s'arrête, interloqué, puis reprend avec embarras :

— Je vois à peu près ce que tu veux dire... et je crois aussi qu'il y a deux sortes de costauds : ceux qui n'ont pas d'argent et qui savent s'en passer, ceux qui en ont et qui savent s'en servir. Je préfère tout de même faire partie des seconds.

Serge n'a pas l'habitude de tant penser. Il en transpire et d'une forte main lente essuie la sueur qui perle à ses tempes. Pas facile à jauger, ce lascar! Carmélie, Thiroine... Oui, voilà deux types dont le destin patauge dans la même ornière, où s'enlisent l'aisance de l'un, la misère de l'autre. Nouy, non, ce n'est pas sûr. Il a bonne gueule, ce truand dont le fric pue franchement. Nouy? C'est une charrette de fumier qui attend l'épandage. Manque aussi la fourche, que j'aimerais lui prêter. *Que j'aimerais lui prêter...* Parfaitement! Au diable le complexe des purs qui frémissent de honte devant le *qui veut la fin veut les moyens* des impurs! Eh quoi, le catéchisme est plein de bonnes histoires où Dieu ramasse des crapules pour en faire des saints! Ce Nouy, ce Nouy... Je ne le déteste pas. C'est drôle. Pourquoi lui vouer, du premier coup, cette agressive sympathie? Décidément, j'aime cette forte main lente.

Elle bouge, la main, elle me saisit le poignet.

— Sacrée statue! dit Serge. Au cheval près, tu ressembles à la Jeanne d'Arc de la place des Pyramides. Quelles sinistres réflexions suis-je en train de t'inspirer?

Le rire me secoue, brusquement.

— Chevalier, sous mon étendard vous pourriez passer capitaine.

— Hein?

Ma chaise fait un bond en avant. Je me retourne pour préciser, féroce :

— ... d'industrie, mon vieux, d'industrie!

*

Les femmes ne nous intéressent pas. Filons vers le groupe Bellorget-Rénégault, que je m'étais en principe réservé pour la bonne bouche. Des gens qui s'occupent des biens et les disputent aux autres, passons, en somme, à ceux qui s'occupent des autres et les disputent aux

biens. Et ne craignons pas d'interrompre un débat qui
doit être sérieux.

— Pour moi qui prends le métro six ou sept fois par
jour...

Apparemment, ces messieurs parlent de choses insigni-
fiantes. Ils semblent préoccupés par l'élévation du tarif
des transports. Surtout le pasteur... Bah! Nul n'ignore que
les professionnels de l'altruisme se méfient des sublimités
oiseuses et qu'ils préfèrent, entre eux, parler de ces mé-
chants détails pratiques auxquels ils se heurtent sans cesse.
Ma main se pose sur l'épaule de Louis Rénégault, resté
dans mon souvenir le garçon maigre et secret qui ne jouait
avec personne.

— J'ai vu ton père, il y a huit jours. Toi, ça fait au
moins un siècle.

— J'exerce à Bordeaux. Je suis là tout à fait par hasard,
répond Rénégault, qui n'est ni plus gras ni plus loquace
que jadis.

Au tour de Bellorget, qui ne porte pas l'habit noir
et le col dur traditionnels, mais un costume gris de bonne
coupe — de trop bonne coupe — égayé par une cravate
grenat.

— Je vous remercie d'être venu. J'avais peur que vous
ne puissiez vous libérer.

— Ma foi, j'ai dû mettre dehors une sainte demoiselle...

Le ton ne vaut rien. Le sourire non plus, qui effleure
à peine un visage composé. Sans ses lunettes d'or, qui
lui donnent de la gravité, Pascal Bellorget aurait l'air
d'un de ces maîtres d'hôtel de grande maison, dont la rai-
deur mesure l'importance de leur maître. L'hostilité, qui
prend des chemins imprévus, me suggère cette question :

— Votre père était aussi pasteur, si je me souviens
bien?

Tiens! le masque de Pascal n'était qu'une couche de
cire et le nom de son père doit être pour lui une source
de chaleur. La cire fond. La bouche se déforme. Derrière
leurs verres les prunelles jaunes ont un éclat fugitif.

— Oui. C'est même pourquoi je le suis, avoue-t-il avec

une déconcertante facilité. Il l'avait toujours désiré. **Mais**
j'ai d'abord préparé Saint-Cyr.

Piètre docilité, qui n'excuse rien, qui compromet **toute**
une vie! Heureusement, Pascal ajoute :

— Il n'aura pas eu la joie de me voir entrer à la Faculté
de théologie. Je ne m'y suis décidé que deux ans après sa
mort.

Voilà qui est mieux. A mon avis, s'entend. La fidélité,
n'est-ce pas la pierre de touche? Cependant, il faudra me
contenter de cette brève satisfaction. Tous trois, maintenant, nous ne dirons plus que des banalités. Nous nous
effaroucherons les uns les autres. Je m'y attendais. Ça ne
rate jamais. Je dois sentir la béguine. Dès qu'il a reniflé
ma bonne odeur, le type le plus simple glisse de la sincérité dans l'édification. Moi qui le hais, j'attire le laïus, je
le subis, comme un site farouche attire et subit de confor-
tables hôtels.

Je bâille, navrée de cette complicité. La tête de Pascal
ondule, petite et froide. La bouche gobe des sentences,
toutes rondes... Tu ne me fascines pas, mais tu m'intéresses
tout de même, pieux serpent à lunettes sifflant son homé-
lie! Je ne te connais pas; dix ou douze phrases, les premières réticentes, les autres pompeuses, ne me permettent
pas de te juger. Mais *je te sens*, toi aussi. J'ai envie de ce
que tu es, comme j'ai envie de ce que sont Luc, Serge,
Claude (pourquoi pas?) et bien d'autres. Exprimons-nous
mieux et disons : comme j'ai envie de ce que vous n'êtes
pas, de ce que vous pourriez. C'est difficile à expliquer,
j'avoue; je ne me comprends pas très bien moi-même. Je
me devine. Avec une sainte méfiance! Au hasard de **mes**
fantaisies, j'en vois poindre une énorme...

— Un cocktail?

— Non, merci.

Constance Orglaise, ma fille, fous le camp. Tu n'as plus
rien à faire ici. Dans la fumée, qui devient opaque, les
bavardages sont de plus en plus misérables. Thiroine
vante les avantages de son Oldsmobile : « Achetée au
Maroc, vous pigez! Un TTX pendant un an et la douane

l'a dans l'os. » Ailleurs on parle sport : « J'avais toujours
pensé que Vienne battrait Paris. » Aucun essai d'entretien
général. Personne n'a tenté de donner à cette réunion
un minimum de tenue, d'en rappeler le sens. Ce n'est pas
à moi de le faire. Nul n'a soufflé mot de ses expériences.
ni des événements qui ont fait deux morts, bouleversé la
vie de chacun. Sujets graves, sujets tabous. Thiroine
aurait-il raison? Le cours 38 est-il — dans un autre sens —
un ramassis de minables? Carmélie, par deux fois, va les
résumer tous. Il crie à Luc, qui parle d'exposition gra-
tuite :

— Nib! En dehors de sa croûte, on en fait toujours
trop.

Et cinq minutes plus tard, à propos d'un camarade qui
a réussi :

— Il a une veine, ce salaud!

L'impuissance et l'envie... Je ne saurais respirer plus
longtemps l'air de cette cave. Malgré le radiateur, j'en
ai la chair de poule. *La pire maladie de l'âme, c'est le
froid,* disait l'autre. Fuyons Thiroine et sa tête d'esquimau.

— Au revoir, tous!

Je file, boitant bas, me raccrochant à tout ce qui me
tombe sous la main. Ça n'a plus d'importance. maintenant.
Milandre s'attarde. Impossible d'éviter le bras de Bertille
Carmélie, qui entend m'accompagner jusqu'à la prochaine
station de taxis. A peine ai-je franchi la porte que j'entends grincer la voix de Thiroine :

— Vous vous rappeliez que cette petite pimbêche était
bancale?

J'attends la réplique de Luc. Elle ne vient pas. Mais
Nouy explose :

— Elle est même restée une heure debout pour que
tu ne t'en aperçoives pas. Chapeau, Thiroine!

VIII

Je regardais par la fenêtre, dans mon attitude favorite : raide comme bambou, le nez sur la vitre. Admettons que je réfléchissais... Oui? Non? Avais-je vraiment un bout d'idée? Fallait me crier : « Casse-cou! Tu fonces comme une girl-scout, en jupette plissée, dans un hallier de bonnes intentions! Laisse-les donc faire, ces pauvres bougres; laisse-les donc ne rien faire. Quelle maladie de t'occuper de ce qui ne te regarde pas! » Je reniflais, le nez de plus en plus écrasé sur la vitre. Cette maladie-là, c'est ma santé. Je reniflais. Je regardais, avec envie. En face...

En face, de l'autre côté de la rue, à l'étage au-dessous, en short, les petites Rumas, les filles du percepteur, faisaient de la culture physique, devant leurs croisées ouvertes. Anonyme, polie — et pourtant indiscutable — la voix de Robert, la quarante millionième partie de la voix de Robert Reynaud les pliait, les relevait, leur imposait des consignes lointaines.

— Un. Levez-vous sur la pointe des pieds. Deux. Fléchissez les membres inférieurs. Asseyez-vous sur vos talons. Trois. Remontez...

Les veinardes! Leur aisance me narguait, me donnait bien des regrets. Leur petit derrière, culotté de blanc, remontait avec une souplesse lente d'ascenseur. Et Reynaud continuait, l'autre chanceux. La voilà bien, la recette idéale, pour ceux qui rêvent d'une voix discrète, suggérant sans cesser d'être absente et réalisant une telle diffraction de la volonté que nul n'ait l'impression de recevoir un ordre! Prends-en de la graine, Constance. La T. S. F. nasillait :

— Faites tourner les coudes de bas en haut...

La grande circumduction, maintenant. Classique. Le prof de gym nous criait toujours : « Pas si vite! Vous battez des ailerons comme les jeunes canards. » En face, ça tournait au bon rythme, sur des jointures sérieuses. Mais cette sagesse même m'irritait. « Contentes de vos biceps, triceps et brachiaux, hein, poupées! Pourtant, on vous connaît. Vous êtes de petites inutiles qui ne fichez rien, qui vivez aux crochets de papa-maman. Et qui couraillez, dit-on. Sportives et c'est assez. Excuse épatante, le sport, qui permet à un tas d'engourdis de se défriper! Le mouvement pour l'action... Oui, je sais, les raisins sont trop verts. Tout de même, quand je n'étais pas podagre, quand je vous prenais un mètre dans la traversée du bassin, j'avais une tête... hum! J'avais d'autres ambitions. »

— Bonne journée! A demain!

Robert Reynaud venait de se taire. Catherine Rumas, l'aînée, bondit vers les croisées, la cuisse vivante et le sein en bataille sous le fin tricot. C'était celle que j'avais connue au club des Ondines. Elle était minime quand j'étais junior. J'ouvris vivement ma fenêtre avant qu'elle ait eu le temps de fermer la sienne.

— Cathie!

Un regard monta vers moi, frais comme un crocus.

— Tiens, c'est vous, Stance!

Merci. J'aime ce diminutif périmé qui, pour moi, n'évoque aucune poésie, mais le *stare* solide des versions latines, la station droite. Il datait, hélas! Il datait de dix ans. Je me penchai par-dessus la barre d'appui.

— Eh bien! ma choute, ce n'est pas la peine d'être voisines pour nous voir si peu.

Catherine souleva une épaule ronde, en murmurant d'une voix égale :

— C'est vrai!

Elle s'en fichait. Elle s'en fichait gentiment, mais elle s'en fichait. Je ne sais quelle envie d'elle me saisit. Le premier argument venu — le plus misérable, comme de juste — me parut excellent.

— Vous faites toujours collection de timbres?... Je dois en avoir quelques-uns de côté. Moi. vous savez, les timbres...

Le sourire de Cathie envahit la rue. Je me gourmandais : « Idiote! Tu ne vas pas la faire monter! Elle habite un appartement et toi une mansarde. Quant aux timbres, ça va au moins te coûter cinq cents francs pour acheter une pochette au *Paradis des philatélistes,* rue du Pont. Et pourquoi, grands dieux? Pour qui? Tout le monde sait qu'elle est comme ses timbres, la Catherine : un peu... oblitérée. Belle recrue! Belle recrue qui ne dépare pas les autres! Un gosse estropié, un pasteur falot, un escroc, une nymphe au cœur infidèle, sans compter le barbouilleur... c'est complet. Ma collection aussi s'enrichit. » J'étais pourtant fort satisfaite. Je criai : « Je te les enverrai! » et je refermai la fenêtre en fredonnant ma scie : *T'en fais pas, la Marie*... Enfin je m'interrogeai :

— Qu'est-ce qu'on fait?

Cette formule me parut un peu avachie. Je la répétai sous une forme plus dense, à voix haute :

— Que fait-on?

Mathilde, qui travaillait dans l'autre pièce, crut que je lui réclamais de l'ouvrage.

— Si tes doigts ne sont pas trop raides, dit-elle, tu pourrais ourler les torchons que j'ai achetés hier.

Nièce soumise, j'attirai la corbeille à ouvrage.

*

Ces travaux pratiques ne me détournèrent point de mes pensées. Tout en poussant l'aiguille, avec une adresse si touchante que le fil s'emmêla vingt fois, je poussai mes réflexions, elles aussi fréquemment embrouillées : en logique comme en couture, j'aime les grandes aiguillées qu'on tire de long... « Résumons-nous. Si j'ai bien compris, Constance Orglaise, la pauvre chatte, s'ennuie. Lors, jetant de tous côtés la griffe en même temps, elle essaie de ramener à soi belette et petit lapin. Pas pour les croquer, non. Pour se monter un zoo personnel et, peut-être, entamer un numéro de dressage. En gros, voilà l'affaire. En style d'hagiographe, on pourrait écrire : *Cette impotente chercha des impuissants qui avaient besoin de sa volonté comme elle avait besoin de leurs jambes. Fille sans destin, infirme, stérile, elle voulut vivre leur vie, marcher leur pas, accoucher par la bouche ces enfants de sa tête...* Mais tais-toi, chérie! Ne te fatigue pas. Réserve ce bla-bla pour les autres... »

— Tu as toujours l'intention de nous amener ce gosse? me demanda soudain Mathilde, qui tournait la ronéo avec une patience de fermière à la baratte.

Chut, surtout! Pas un mot. Chose tue, chose décidée. Depuis quelques jours, la tante cédait. Ce n'était pas le moment de lui offrir l'occasion d'une querelle, qui eût tout remis en question ou qui m'eût forcée à faire donner la garde (faire donner la garde, pour moi, c'est me résigner à la supplication : « Tu ne refuseras pas ce plaisir à ta pauvre éclopée »). Avec une ardeur renouvelée, je me mis à coudre mes torchons, à mettre au point mes projets. « Voyons. Pas la peine de s'assurer de Luc : on l'aura toujours sous la main et du reste je ne sais pas si on peut en faire quoi que ce soit. Même remarque pour Cathie. A voir. En ce qui concerne Claude, considérer la question comme réglée. La seule réglée. Car Serge et Pascal... Ils sont bien loin de moi, ces gens-là. Ils se sont passés de moi de toute éternité. Ils attendent tout, sauf mes lumières. Comment les joindre? A quel titre? Sous quel prétexte? » Après quelques hésitations, j'optais pour une nouvelle circulaire, adressée à tous. Ça sentait le réchauffé; ça faisait déjà beaucoup de papier. Mais je n'avais pas, ce jour-là, l'imagination fertile.

Sitôt dit, sitôt fait. Au travail! Mot par mot, point par
point, circulaire et torchons prirent bientôt tournure.
*Si vous avez comme moi été déçus par ce que nous sommes
et songez à ce que nous pourrions être...* Pas de condition-
nel. L'indicatif présent. Qui prête une attitude a des
chances de l'imposer... *A ce que nous pouvons être... Je
suis sûre que vous serez d'accord avec moi pour constater
qu'il nous manque une dimension...* La quatrième, sans
doute. Attention! Les copains n'ont pas d'yeux (le cinéma
leur a tout pris). Mais ils ont de terribles oreilles qui
détestent les périodes en adorant le boniment, le slo-
gan. J'aurais dû faire un stage dans une maison de publi-
cité. Continuons... Encore deux ou trois phrases. *J'aimerais
rester en relation avec ceux d'entre vous qui...* qui quoi?
Quels fils de gruyère pour tisser mon filet!... *Avec ceux
d'entre vous qui ont l'impression de s'attendre. Je ne leur
propose rien d'autre qu'une émulation...* Mot foutu, à tra-
duire en langage moderne : *une « poussette » sur la voie
que chacun s'est choisie. Témoins privilégiés les uns des
autres, voilà ce que nous devrions...*

— Alors, quand nous l'imposes-tu, ton bambin? reprit
Mathilde.

Sous cette nouvelle forme, capitularde, la question méritait réponse.

— Le vingt, répondis-je. Dans six jours.

Un soupir fit bruisser le sautoir d'argent. Comme tante
ne disait plus rien, je souris et machinalement je me tirai
une mèche sur le front : c'est ainsi que je pavoise. J'ache-
vai mes torchons, mais je ne voulus pas déjeuner avant
d'être allée au *Paradis des philatélistes*, en bancaline.

*

Bien m'en prit. En revenant, je tombai sur Cathie qui
sortait de chez Firmin, en compagnie d'une demi-douzaine
de garçons. Je n'eus que le temps de me ranger contre

le trottoir et de déchirer la pochette pour mettre les
timbres en vrac dans mon sac. Alors, je hélai la petite.
Elle lâcha la meute et, me prenant par le bras, retourna
au café, où elle m'offrit l'apéritif et se mit à babiller, à
babiller, en lorgnant les vignettes :

— Oh! celui-ci, je ne l'ai pas. Chic! Celui-là, non plus.
Stance, vous avez donc des correspondants un peu partout?... Le grand blond, qui était avec moi, vous l'avez
reconnu, c'était Gaston, mon premier coup de foudre.
Excellent, ce trois centavos.

Je ne me lassais pas de la regarder. Comment ce racorni
de percepteur pouvait-il être responsable de cette admirable fille, faite d'une matière lumineuse, tiède et qui
palpitait de partout? Impossible de définir la demi-douzaine de nuances qui jaspaient ses yeux d'agate, grillagés
par d'immenses cils authentiques. Ses moindres gestes et
même les plis de sa robe avaient de la grâce. Son teint
plaidait pour sa pureté.

Mais quelle pie! Elle ignorait le « sois belle et tais-toi ».
Rien ne m'étonne comme ces gens qu'on connaît de vue,
sans plus, qui peuvent rester six mois ou même six ans
sans vous voir et qui, à la prochaine rencontre, vous acca-
bleront tout de suite de confidences. Intarissable, Cathie
déballait ses petites affaires.

— J'ai d'abord fréquenté Gaston. Mais papa préférait
Daniel, le fils du papetier. Depuis...

Dieu merci, j'ai de bonnes oreilles, je leur fais plus
facilement confiance qu'à ma bouche. Qui sait très bien
écouter donne l'impression de se livrer : astuce dont j'use
souvent. En une heure nous avions fait le tour de ses flirts,
de ses idées, de ses parfums, de ses robes, de ses amies.
Elle avouait faire un peu de tout, c'est-à-dire rien, comme
je le savais. Du tennis de contemplation à Roland-Garros.
De la puériculture, une fois par mois, chez une copine,
qui lui confiait son gosse avant d'aller au théâtre. Du
dessin, dans le genre Picasso (ou supposé tel). De la poésie,
dans le genre Fombeure (id.). D'autres choses encore, au

goût du dernier vainqueur... A vrai dire, elle aurait aim...
On lui avait dit qu'elle avait aussi le physique pour...
Bref, elle n'osait avouer son rêve de midinette qui lit
toutes les semaines *Ciné-Monde* et se regarde toutes les
dix minutes dans la glace de son sac pour savoir si elle
est toujours photogénique, si le bouton qu'elle a sur le
nez ne va pas lui enlever la chance que possède toute fille
de rencontrer un metteur en scène sans vedette qui, soudain, en pleine rue, lui sautera dessus et l'expédiera dare-
dare vers Joinville...

Je bouillais... Sosotte! C'est vrai qu'elle était photogénique. Elle avait même quelque chose de plus. Quel dommage de gâcher ça! J'éprouvais de nouveau cet appétit
d'elle, cet étrange désir : « J'aimerais mettre ma tête sur
son cou. Ou plutôt, car je ne suis pas aussi belle et j'aurais besoin de sa tête, j'aimerais la farcir de ce qu'il y a
dans la mienne. » Catherine chuchotait toujours, remuait
mille délicats détritus de lectures, de ragots et de rêves,
tout ce terreau sentimental où prospèrent d'inquiétantes
fleurs de serre. Sa bouche devenait luisante. Sa respiration haute faisait frémir le sein dans l'organdi du che-
misier. Enfin elle abandonna son verre, à demi plein,
marqué de rouge à lèvres, me sauta au cou et se sauva, sa
petite serre aux griffes vernies crispée sur la poignée de
timbres. Je rentrai avec une demi-heure de retard sur le
sacro-saint horaire du déjeuner.

— Je viens de te voir par la fenêtre avec Catherine
Rumas. Ne m'amène pas ça ici. C'est une putain, dit
fortement ma tante.

Je protestai des deux mains.

— N'exagérons rien. Elle a... la vocation dame de
cœur.

— Un éclopé, une poule! continuait Mathilde. Avec ta
manie d'asticoter le genre humain, tu finiras par nous
imposer n'importe qui. Pourquoi pas un clochard! Pourquoi pas le père Roquault?

Le père Roquault... Au fait, oui, pourquoi pas? Nous

allons chasser bien loin quelquefois un gibier qui se terre
à côté de nous. La belle pièce à mettre à mon tableau!
Mais comment approcher d'un horrible petit vieux, ratatiné par vingt ans d'une interminable retraite. gavé de
nouilles, de médisances et de regrets? Le père Roquault...
A noter tout de même. Je retirai ma mèche, plus bas, sur
mon front.

IX

Hérissée de bigoudis, Mathilde était encore en chemise de nuit sous sa robe de chambre mauve quand retentit le coup de sonnette. Comme je ne traînaille jamais en petite tenue et m'habille au saut du lit, ce fut moi qui allai ouvrir... qui me traîna pour aller ouvrir, car j'étais plutôt patraque. Hourra! C'était le chapeau-cloche.

— Je vous l'amène tôt, dit Berthe Alanec. Faut que je sois en avance d'une heure aujourd'hui. Le patron veut m'expliquer mon travail. Les autres jours, je viendrai plus tard. Voilà. Maintenant faut que je m'en aille...

Elle entra tout de même, à pas de souris, balbutiant d'autres phrases pâlottes où revenait sans cesse le « faut que » typique du langage de la servitude. Mais elle remerciait modérément. Habituée à l'aide d'autrui elle semblait la trouver naturelle. Aux regards qu'elle jetait sur le capharnaüm il était également facile de voir qu'elle était déçue : une demoiselle riche eût sans doute mieux fait son affaire. Elle était aussi étonnée, peut-être inquiète. La charité est fantaisie de riche. Quelle était cette fantaisie de pauvre? Les pauvres s'assistent, bien sûr, mais seulement quand ils se connaissent. Enfin elle se pencha sur l'enfant, tout encapuchonné, tout bardé de foulards, et lui souffla :

— Tu seras sage avec la dame!

Elle repartit, la tête rentrée dans les épaules, sur de lourds talons traînants. J'annonçai bravement, à la cantonade :

— Claude est arrivé!

— Ah! il s'appelle Claude!

Mathilde, qui s'était sauvée dans sa chambre, se décidait à revenir. Elle s'avançait, à moitié coiffée, répandant autour d'elle ses cheveux, ses bras, les pans de sa robe. Son premier menton rentra dans le second qui s'imbriqua dans un troisième, tandis qu'elle observait le gosse que je venais d'asseoir sur le haut tabouret de dactylo et qui balançait les jambes dans le vide. Il n'était pas vilain, ce maigrichon, avec sa mine d'oiseau qui rentre la tête dans le jabot, ses prunelles presque beiges, ses boucles de laiton. Mathilde essaya un sourire, du type risette-à-l'enquiquineur, puis un autre, plus morose, qui fut remplacé par un troisième du genre passe-partout. Son regard quitta l'enfant, monta vers moi, qui suis aussi maigrichonne et qui suis blonde aussi — mais d'un vilain blond, plus dur, couleur corne. Soupir. Re-soupir. Rien à faire : j'étais là, bien campée dans ma robe. Son regard continuait de monter, navré, tel celui de l'évadé qui arrive devant un dernier mur, beaucoup trop haut et farouchement garni de tessons. Elle ne savait que dire, la pauvre. Elle faisait tourner autour de son poignet, comme un énorme bracelet, son indispensable rond de caoutchouc, auréole de ses mérites (selon Luc).

— Après tout... dit-elle.

Sa propre nature la bousculait. Le kyste de la paupière se mit à frétiller. Onde par onde, pli par pli, son vrai sourire apparut, s'épanouit dans la graisse.

— A-t-il déjeuné, au moins? demanda-t-elle.

Une heure plus tard, elle filait jusqu'au bazar du coin acheter un jeu de constructions.

*

L'enfant joua toute la journée, presque sans bouger. Son infirmité lui tenait lieu de sagesse. Il avait été dressé à passer inaperçu dans le restaurant où avait travaillé

sa mère. Il parlait peu, comme tous les enfants dont on
ne s'est guère occupé. Il ne marchait pas du tout, n'essayait
même pas de changer de place. Ce qui m'autorisait à
conclure :

— Tu vois, tante, il ne sera pas encombrant.

A vrai dire, j'aurais préféré le voir plus remuant. Tant
de résignation m'agaçait. Quoi! Ses jambes n'étaient pas
plus mauvaises que les miennes. Il pouvait s'en servir puisqu'il marchait dès qu'il se sentait tenu, ne fût-ce que par
un doigt. Pourquoi attendait-il cet appui, pourquoi n'al-
lait-il pas le chercher? Ma première tâche serait de lui
apprendre l'équilibre qui, pour nous, est un métier. Mais
il fallait d'abord gagner sa confiance. D'ailleurs j'étais
vraiment mal fichue. Mon épaule recommençait à enfler,
mes mains devenaient molles, mes jambes se tassaient sous
moi comme des pattes de pantin, bourrées de crin. Mes
béquillons me suffisaient à peine et je regardais avec inquiétude mes grandes béquilles, rangées dans un coin et
qui ne me servaient plus depuis des mois. Faudrait-il les
reprendre?

Enfin, il y avait mes autres clients. J'étais très préoccu-
pée de leur attitude. Dès le 15, Nouy m'avait répondu
par pneu. *Je ne sais pas trop où tu veux en venir. Ni
toi non plus, sans doute. Mais tu m'es sympa. Excellons.*
Excellons, et que ça saute! Ça ne voulait rien dire, ce
n'était pas compromettant, c'était tout de même plus ré-
confortant que le mot de Carmélie, arrivé le lendemain :
*Chère mademoiselle, bien sûr, restons en relations, pour
nous aider réciproquement. A propos, j'ai oublié de vous
dire que je fais toujours 10 p. 100 de rabais aux amis
qui se fournissent chez moi.* Le 18, Thiroine s'en était
mêlé et, de rage, je n'avais soufflé mot de la journée.
Aimable philanthrope, disait sa lettre, *j'ai bien reçu votre
nouvelle circulaire. Première remarque : vous abusez un
peu de la ronéo. Seconde remarque : vous aviez omis d'af-
franchir et j'ai dû payer trente francs de taxe. Troisième
remarque : vous me cassez les pieds. Je me suis rendu à
la fête des anciens par curiosité. Je me suis laissé traîner*

avec beaucoup moins de plaisir à votre conciliabule, chez
Carmélie. Je n'ai pas envie de remettre ça. Je ne suis
plus un gamin tourmenté par ces boutons qui s'épa-
nouissent si facilement en fleurs de rhétorique. Sauvez
votre monde à la sauvette et laissez-moi au commerce pa-
tenté des cuirs et peaux.

Et ceci n'était rien. La veille, deux réponses m'avaient
plongée dans l'embarras. D'abord celle de Bellorget, moins
prudent, plus ferme qu'on aurait pu s'y attendre et qui
jouait en quelque sorte sur son terrain : *Votre lettre me*
réchauffe et m'inquiète à la fois. Vous n'avez pas le ton
du siècle, mais je crains que vous ne soyez pénétrée de
son esprit. L'émulation, bravo! Mais, dans la voie que cha-
cun s'est choisie, qu'est-ce à dire? Toutes les voies ne sont
pas bonnes. Au nom de qui cherchez-vous l'excellence?
Qu'en voulez-vous faire? Tout homme a, toute la vie,
l'impression de s'attendre, car ce n'est pas lui qu'il attend,
mais ce témoin privilégié, le seul véritable, Celui qui...
Suivait un sermon où le pasteur montrait toute l'oreille.

L'autre lettre émanait de Maxime de Ray qui n'avait
jusque-là pas donné signe de vie. *Je chassais le 14 et je*
n'ai pu me rendre à votre réunion. Je ne le regrette pas,
car vous en aviez fait, semble-t-il, une sorte de traquenard.
Voyons, voyons, pour qui racolez-vous? On mobilise beau-
coup ceux qui s'attendent, ces temps-ci. En général on le
fait sur le forum. Pas à titre privé. Comme il n'y a point
de social aujourd'hui qui ne soit politique, j'en déduis
que vos chefs vous ont conseillé cette méthode discrète
pour approcher de nous en sourdine. Qui sont-ils? Quel
est votre « isme »? A quel genre de bien voulez-vous nous
entraîner pour le seul profit de votre Cause? Tous les
chemins mènent à Rome, quand on sait répartir aux tour-
nants les « poussettes sur la voie que chacun s'est choi-
sie ». Ayez au moins la franchise de le dire. Nous sommes
peut-être du même groupe sanguin, mais de toute façon
j'ai voulu vous écrire pour vous signaler que je ne suis pas
dupe... Ni, du reste, amateur.

Et fallait-il enfin tenir pour négligeable la réaction de

Luc, accouru à la maison, hilare, pour jeter sur la table un vieil exemplaire de *La vie en forme de proue* en criant :

— Prout, ma chère!

*

J'en étais baba. J'enrageais. La sale blague d'être prise au sérieux par les autres avant de l'être par soi-même! Et de voir arriver la contre-attaque, toute fumante, fonçant sur vos intentions, ces marches lointaines où l'on a dépêché de vagues éclaireurs! J'avais fait péter une amorce et ils entendaient le canon. Il y avait de quoi rire; de quoi, aussi, me hausser du col. J'étais partagée entre deux envies contradictoires : celle de me trouver intéressante et celle de me moquer de moi. Les deux me sont d'ailleurs naturelles et il est bien probable que l'une est l'alibi de l'autre.

La phase du petit rire qui vous secoue, toute jaune, comme le vent de mars fatigue la jonquille, l'avait d'abord emporté. Elle durait encore, ce matin de l'arrivée du gosse, et j'épluchais les patates en songeant : « Hé, hé, si tu as des envies de cornette, Constance, mieux vaudrait t'en tenir là. Lui faire faire pipi-popo, le torcher, le moucher, lui enfiler sa poupoune... voilà ce qu'il te faut, voilà du travail pour demoiselle impotente. Et encore! Parce qu'il est *para*, lui aussi, parce qu'il ne pourra pas dégringoler l'escalier sans ta permission. Sinon, tu n'en serais même pas capable. »

Si étonnant que cela puisse paraître, ce fut Mathilde qui me libéra du sarcasme. Se retournant sur son tabouret, elle fulmina :

— Plus fines, tes pluches! Je te l'ai dit cent fois.

Puis regardant le mioche, vautré sur le parquet et en train d'édifier une pyramide de cubes multicolores, elle ajouta :

— Avec un youpala, si nous en trouvons un à sa taille, nous arriverons peut-être à le faire marcher.

Association de mots immédiate! Martiale, je me mis à fredonner : *Marchons, marchons...* C'était vrai, je pouvais aussi, je pouvais surtout cela pour Claude : lui apprendre à marcher. Faire en sorte qu'il pût un jour s'évader de mes jupes. Transposant la chose sur un autre plan, je trouvai du même coup la parade : « Un youpala pour leurs petons, c'est tout. Rien d'autre. Un youpala pour les hésitations de ces messieurs. Mais qu'ils aillent où ils veulent sur leurs petites roulettes! Ça, ce n'est pas mon affaire. »

Bientôt, je fignolai ma rhétorique. Que venait-on me chanter? *Au nom de qui?* Au nom de moi, pardi! Au nom de moi, toute mince et toute seule. *Au bénéfice de qui?* Mais au bénéfice de chacun, évidemment. Quand une pauvre fille vous dit ce qu'elle pense, pourquoi soupçonner son haleine et pointer en l'air un doigt mouillé en demandant : « D'où vient le vent? » Pourquoi appeler à la rescousse politique et philosophie? Je parlais de leur inertie à quelques bons bougres, capables de mieux. De quel droit l'écho répondait-il : « Problèmes généraux! Vous vous z'attaquez z'aux montagnes sacrées! » Réflexe connu. Affolement hypocrite. Epouvantés à la pensée qu'on pourrait les faire bouger d'un millimètre, les gens feignent de croire qu'on veut ébranler le monde en même temps qu'eux. Je n'étais pas folle. Mais femme. Donc une particulière, intéressée par des particuliers. Par des cas précis, chauds, offerts à mes yeux, mes doigts et mes oreilles. A travers eux vivante. Et me fichant du reste.

Mais je ne pouvais pas le dire. On n'avoue pas aux gens que leurs idées ne vous font ni chaud ni froid, que ce qui vous intéresse en elles. c'est seulement leur intensité, leur rendement. Ça ne fait pas sérieux dans un monde qui considère encore comme séditieuse la phrase de Saint-Ex (que j'avais choisie comme devise au concours général) : *La vérité, pour l'homme, c'est ce qui fait de lui un homme.* Il faudrait trouver une attitude, qui ne

soit ni trop directe ni ambiguë. Qui veut jouer à l'Egérie...

Le fou rire me reprit. D'un coup sec, je plantai mon
couteau de cuisine dans la dernière patate. Elle était
fraîche, ma domination! Ils iraient loin, mes zèbres, quand
je leur aurais soufflé dans le dos! Je me levai péniblement. Tanguant et roulant, hargneuse, je fonçai sur le
gosse.

— Tu as fini de te traîner? Allons, debout!

Il ne bougea pas, ne parvint même pas à soulever sa
tête de plomb. Ses yeux jaunes m'observaient, cuits, inex-
pressifs : deux œufs de moineau sur le plat.

— Laisse-le donc, dit Mathilde en écartant les bras.

X

CLAUDE et moi, nous étions venus en bancaline, côte à
côte, sans donner un coup de manivelle. Milandre poussait le tout. C'était un peu vexant pour moi. Mais surtout vexant pour lui : il avait l'air d'un époux et d'un
père convoyant les restes de sa famille. Claude ne
bougeait pas, désespérément sage. J'avais éprouvé une curieuse satisfaction en le voyant toucher la chaîne du « moulin à café », enduite de graisse boueuse, puis sucer son
doigt avec délices. C'était sa première bêtise.

Nous avions, en passant, fait une visite de courtoisie à
Mlle Calien (courte, ma courtoisie! Si je suis incroyante,
c'est que je me rebiffe contre la grâce de Dieu, qui aurait
en nous l'initiative des bonnes actions, tandis que nous
conserverions seulement celle des mauvaises. Je ne pouvais
oublier que l'assistante était à l'origine de l'expérience
Claude). Maintenant nous nous promenions dans le square
Henri-François, avec l'élégance que l'on sait. Un clochard,
installé sur un banc pour siffler un fond de bouteille et
récurer une boîte de conserves, nous regardait d'un œil
goguenard. Je fredonnais, bravement, cet absurde refrain
qui semblait tout à fait de circonstance :

> *Y en a qui boit'en marchant*
> *Y en a d'autres qui se dandinent.*
> *Y a l'autr' qui boit un vin blanc,*
> *Enfin y a les boîtes de sardines...*

Il y avait même la boîte de peinture. Milandre fonctionnait. Milandre brossait une Marne. La Marne et moi, c'est fou ce que nous avons pu lui sécher de tubes! Je connais sa Marne d'hiver qui ressemble à une immense flaque de colle de pâte, sa Marne de printemps qui fait soupe de pois cassés. Pour l'instant il travaillait dans la gelée de coing, à grand renfort de terre de Sienne et de rouge de Pouzzoles. Reniflant, se mordillant les lèvres, tirant la langue, il déposait sur sa palette croûteuse de nouveaux tortillons, gros comme ceux des vers sur la terre humide. Il malaxait, il plâtrait sa toile, avec jubilation.

— Ça vient, ça vient! assurait-il, quand je revenais me pencher sur son chef-d'œuvre, à chaque tour de jardin.

Moi aussi, je fonctionnais. Avec le même brio. Remorquant le gosse et surveillant notre double équilibre, je cherchais à m'exalter, à me réchauffer l'imagination. C'est ce que j'appelle couver l'œuf de Colomb. Il en sort toujours quelque pompeuse évidence. Or, justement, Colomb, Colomb Christophe, navigateur, m'offrait un bon sujet de méditation. Pour le compte de Leurs Majestés Catholiques et pour la gloire future des U. S. A. protestants, ce monsieur n'est-il pas allé en Amérique en croyant aller aux Indes? Il y est allé, c'est le principal. Il s'est trompé avec tant de ténacité qu'il en a fait jaillir la plus grande nouveauté géographique de tous les temps. Voilà qui était rassurant. On ne trompe jamais quand on marche; on peut tout au plus se dérouter.

Mise en train, je clopinais ferme, sans m'apercevoir que je venais de lâcher Claude, du reste fort satisfait de l'aventure, car il en avait profité pour se traîner jusqu'auprès de Luc, également inattentif, et pour s'emparer d'un tube de blanc de zinc dont il répandait le contenu sur sa culotte, en jolis filets. Mais j'allais, ignorant le désastre; j'allais, spéculant et planifiant sous les acacias-boules.

Voyons, voyons. Numérotons nos inquiétudes. Il y a, *primo*, ces mains qui deviennent aussi veules que nos jambes. J'irai consulter en douce. En attendant, sous le premier prétexte venu (par exemple, cassons une canne), je peux reprendre mes béquilles. Après tout, cette façon de déambuler, par grands bonds flasques, cette crucifixion qui galope, ça gêne les yeux, ça touche. La pitié... tant pis! C'est une arme. Ces bougres-là vont me faire faire des progrès en humilité. Ou en tactique.

Secundo, comment harceler mes gens? Le travail, l'aide due à Mathilde, le gosse me retiennent à la maison six jours sur sept. Les lettres sont insuffisantes. Compter sur des visites serait naïf. Le moyen de choix — voir proverbes divers — a toujours été la présence. Une seule solution : le siècle a inventé la présence à distance, les P. T. T. vous louent une toile d'araignée toute faite, toute tendue, pour attraper vos mouches. Je ferai poser le téléphone. L'argent?... Eh bien! je vendrai mon unique bijou : la bague de fiançailles de maman.

Tertio, la maison. Dans l'impossibilité d'améliorer un décor, mieux vaut lui préférer le vide. Notre salle à manger — salle de travail — pièce à tout faire, dite « capharnaüm », pue la gêne et le graillon. Personne, ma chère, ne prend conseil d'une pauvresse. Ne fais pas pauvre, fais austère. Du vestibule qui deviendra décent, quand en seront bannis les sous-verre de Mathilde, tes visiteurs devront passer directement dans ta chambre. Sa nudité impressionnera. Une fois le téléphone posé, laisse le récepteur par terre, près du lit, dédaigneusement.

— Le saligaud! Un tube de trois cents francs! Qu'est-ce que tu fous, aussi, Orglaise?

Luc vociférait. Claude sanglotait, aggravant son cas en voulant s'essuyer. Il était barbouillé comme un Pierrot. J'accourus. Je trouvai dans la boîte de peinture un bidon plat d'essence de térébenthine, qui me permit d'enlever le plus gros, en sacrifiant mon mouchoir. Puis je fis taire le barbouilleur qui continuait à se lamenter sur la perte de son oxyde de zinc

— Je t'achèterai un autre tube. Je prendrai même un

tube de blanc d'argent. Il est plus cher, mais il est meilleur.

— Tiens, fit Luc, je ne te savais pas si calée!

Il ignorait mon « fichier ». Vieille manie à moi de me documenter silencieusement sur les gens qui m'entourent et les choses qui les passionnent. Leur parler de leur spécialité les accroche. Faire allusion, au moment opportun, à un détail de leur vie qu'ils croyaient secret vous les livre.

Il n'y avait plus qu'à rentrer pour achever le nettoyage du gosse. Luc se remit au pousse-pousse, visiblement étonné d'une si persistante faveur. Je tenais gravement la toile fraîche, passée du coing à la groseille en dernière minute afin de s'intituler *Marne au soleil couchant*. De l'autre côté du pont, comme nous passions devant la glace d'une charcuterie, j'aperçus une fille coiffée à la diable et qui me ressemblait beaucoup trop. Mon ange me souffla : « Egérie, tu as une tête de gitane. Fais attention : les hommes ont les yeux plus sensibles que les oreilles. Ce sont des demoiselles moches qui ont lancé le dicton : *la beauté n'est que l'intelligence du corps*. Tout de même, tâche au moins d'avoir celle-là. Un col Claudine, un coup de peigne, un coup de houppette...

Cinquante mètres plus loin, lasse de me laisser véhiculer comme une petite vieille, je voulus faire un coup d'éclat, je criai :

— Arrête, Luc. Je vais en profiter pour prendre le pain. Ça évitera une course à Mathilde.

Et hop! J'essayai de descendre toute seule, sans attendre son aide. Résultat : je me retrouvai une seconde plus tard dans le caniveau. Luc se précipita, me releva avec des mines et des précautions touchantes. Moi, franchement, j'étais ravie. J'avais gardé trop longtemps mon sérieux. Ce compatissant Milandre, ce moutard vacillant, mes jambes, mes cannes, mes « clients », mes projets, mes réflexions... tout ce monde instable et qui avait tant de mal à tenir debout m'apparaissait soudain infiniment cocasse. Je riais à perdre haleine. Je secouais ma tignasse, comme un chien se secoue le poil au milieu d'un jeu de quilles.

XI

MARDI, jour de sortie de Berthe Alanec, Claude n'est pas venu. Je suis libre et j'en ai profité pour filer, dès neuf heures, laissant ronchonner Mathilde qui répète depuis quinze jours :

— Ç'a d'abord été un gosse. Enfin, là, je ne dis pas... Mais maintenant voilà que tout le monde a besoin de mademoiselle. Des gens qui ont des situations et des fortunes, je vous demande un peu! Et on me vend la bague de cette pauvre Amélie pour m'installer un téléphone, qui ne peut nous servir à rien. Et on s'agite, et on s'éreinte! Total : nous en sommes déjà revenues aux béquilles. Parce que le coup de la canne cassée, tu sais... je ne suis pas folle!

Elle a pourtant signé la demande que je suis allée en premier lieu porter à la poste. Elle acceptera toujours n'importe quoi. Là n'est pas l'ennui et c'est pour d'autres motifs que mon front se fripe. Les mains crispées sur les traverses, une crosse de velours sous chaque aisselle, je n'éprouve aucune joie particulière à retrouver mes pilotis. Et puis j'ai le trac, pour ne pas dire la trouille, du missionnaire qui débarque sur les cannibales. Quelle langue vais-je parler? Quelles avanies me faudra-t-il subir? Ai-je bien fait d'emmener avec moi, une fois de plus, ce garçon qui n'a rien de commun avec moi sauf une arrière-grand-mère et qui trottine à mes côtés en protestant contre le vent, contre le froid, contre moi.

— Mollo, mollo! Tu as repris tes béquilles... Bravo!
Mais la béquillade, ce n'est pas du saut à la perche.

Impossible de me passer de lui : je ne suis encore que
la sœur de Marcel, introduite par Luc auprès des copains.
Du reste, j'ai besoin d'un garde du corps : avec ces jambes,
on ne sait jamais. J'ai bien pensé à mobiliser Cathie. Elle
n'aurait pas refusé. Je ne sais pas si elle m'est reconnais-
sante de la dédouaner aux yeux du quartier ou d'accepter
ses apéritifs, mais nous sommes au mieux et nous faisons
du bras dessus, bras dessous quand elle me rencontre au
retour de quelque course. Cathie pouvait être précieuse
dans l'expédition du jour : en faisant passer ma visite
comme le porto fait passer l'huile de foie de morue. Mais
le procédé pouvait se retourner contre moi. Mon combi-
nard et peut-être même le bon pasteur n'auraient eu d'yeux
que pour elle. Mais que raconte Luc?

— A propos... Je ne pourrai plus t'accompagner aussi
souvent. Je parie que tu vas gueuler... c'est de ta faute.
Tu m'as assez tarabusté, n'est-ce pas? Alors, sois contente.
Je me prostitue, ma vieille. J'entre lundi chez un décorateur de la rue Saint-Antoine. Ce qui me forcera bien à te
négliger un peu...

Hein? C'est Luc qui, le premier... Ça, alors! Je m'arrête
pile. Je dévisage ma bonne chouette aux yeux ronds. Je
bredouille :

— Excuse... C'est moi... qui allais te négliger.

Les yeux ronds s'écarquillent encore. Luc n'a pas compris. Ça ne fait rien. Au rythme d'un fredon intérieur,
poum-poum, poum-poum, je pilonne, je pilonne. Je ne
sais pas par où ça me réchauffe, mais ça me réchauffe, bien
qu'une béquillarde ne puisse ni se frotter les mains, ni
taper des pieds.

— Où trottons-nous? demanda Luc, qui ajoute d'une
voix de chat, rauque et langoureuse : Tu t'es bichonnée,
dis donc!

Oui, j'ai mis le col Claudine, le soupçon de rouge...
etc. Mais appréciera-t-il autant l'itinéraire?

— Nous allons d'abord à Joinville.

Luc fait la grimace.

— Ensuite nous irons à Charonne voir Bellorget.

La grimace s'accentue. Le petit cousin hache entre les
dents un ricanement de collégien jaloux.

— Après le rat, le corbeau... on fait le tour des charo-
gnards! Que diable leur veux-tu, Orglaise?

— Les tarabuster, eux aussi, figure-toi.

*

Le bus nous dépose presque en face de la maison. Une
fort belle maison. Nouy a, paraît-il, dans le neuvième un
« cabinet d'affaires » où il se rend l'après-midi pour
trafiquer de tout ce qui fait les derniers beaux jours du
marché parallèle. Il est aussi quelque chose dans une
société de production cinématographique, spécialisée dans
le « léger » (et soupçonnée de s'intéresser au porno). A
Joinville, apparemment, il est honnête homme dans une
honnête villa, que ne sauraient suspecter ni le fisc ni la
maréchaussée. Une haie de troènes double la grille.
Quelques ifs obèses, assis sur des gazons nets, masquent
une façade blanche, discrète, dont presque tous les volets
sont clos. Un dogue arpente le gravillon, silencieux solide,
indulgent envers le petit chat noir qui fait le fou, tourne
autour de ses pattes, lui passe sous le ventre comme une
flèche. Quand je pousse la porte entrouverte, il ne dit rien,
se contente de m'accompagner jusqu'au perron, où il
daigne alors donner de la voix pour prévenir et m'empêcher d'aller plus loin.

— Sacrée fille! Tu ne pouvais pas téléphoner?

Une fenêtre se referme et Serge vient lui-même ouvrir.
Il est encore en pyjama. Un pyjama de soie. Il vient de
se réveiller : sur ses petits yeux papillotent de lourdes
paupières roses.

— Salut! En semaine, je suis presque toujours célibataire. Et comme à cette heure-ci ma bonne fait son mar-

ché, je suis sous la seule garde de mon chien. Quel bon
vent t'amène?

— En fait de vent, observe Milandre qui pousse devant
lui un nez violet, il est plutôt méchant.

Serge daigne s'apercevoir de la présence de Luc, lui
offre un doigt. J'ai gaffé. Il fallait venir seule. Nouy est
de cette race âpre, qui jette son dévolu sur tout et ne
partage rien, même l'amitié.

— Entrez donc! reprend-il, bourru.

Nous avançons. Vestibule violet pâle, où étincellent
chromes et glaces. Petit salon ocre où quatre fauteuils
carrés en chèvre du Cap s'accroupissent sur la moquette
autour d'un aquarium de trois cents litres, lumineux, peu-
plé de scalaires, de queues-de-voile, de poissons-télescopes.
Salle à manger vert d'eau à tapis de Chiraz et meubles
cordouans, cuir et cuivre offrant aux yeux ce poli parfait
des richesses d'exposition qui ne servent jamais. Bureau
enfin : un bureau-prétexte avec divan, rideaux assortis,
bibliothèque de palissandre pleine de mirifiques reliures,
photos d'artistes dédicacées, parfums divers imbibant un
haute-laine d'un moelleux! On nous a fait traverser les
trois pièces pour nous épater. Discrétion au-dehors, plein
la vue au-dedans. La diplomatie m'interdit d'être rosse.
Tout ce que je peux dire, c'est :

— Tu ne crains pas les mites!

Puis, le doigt pointé vers la douzaine de cabotines qui
s'aplatissent sur le mur après s'être sans doute aplaties
dans le meilleur lit de la maison :

— Ton tableau de chasse?

Pas de moue complaisante. Au contraire. Un réflexe
pudique éteint le sourire de Serge. Le drôle est plus
compliqué ou plus malin que je ne le pensais. J'ai devant
moi une bonne balle, aux oreilles ourlées de rouge, au
nez puissant, aux mèches drues. Les prunelles seules ont
de la malice qui fuse entre ces cils courts, à moitié grillés,
du fumeur trahi par la flamme de son briquet. Il proteste, légèrement dédaigneux.

— Ça? Des copines. De petits rôles à qui j'ai rendu service.

Tiens, tiens! Intéressant. Un brusque rapprochement vient de se faire dans ma tête. Notons cette autre information qui explique la première :

— Moi, je m'occupe surtout de la partie financière des films. Oh! tranquillise-toi, je ne risque pas mon fric. Mon rôle consiste à trouver, moyennant pourboire, des commanditaires qui soient ravis d'y perdre le leur.

Cette fois, Nouy se force. Il n'a même pas sa voix. Celle qu'il emploie a le débit saccadé et les inflexions sèches qui cotent leur homme au café de la Bourse. Il ne trouve plus rien à dire. La conversation s'éteint. Je m'assieds sur le coin du divan, puis je regarde Luc, qui ronge son ongle favori : celui du pouce. Il finit par comprendre, il ânonne :

— Si tu peux me donner quartier libre pendant une demi-heure, j'irai voir un peintre de mes amis qui habite à trois rues d'ici. Je parie que...

Le reste se perd dans son mouchoir, où il éternue. Il est déjà parti. Les tapis étouffent ses pas, qui ne redeviendront sonores qu'à partir du perron. Pour la seconde fois j'éprouve un petit remords : la délicatesse est de son côté, non du mien. Mais attention! Serge, qui joue avec un coupe-papier d'ivoire, vient de murmurer, suave :

— Suite à votre honorée du 15 novembre, n'est-ce pas, belle enfant?

Petit plongeon du nez pour dire oui.

— Tu es un drôle de corps, reprend Nouy, qui vient d'introduire son coupe-papier dans le col de son pyjama et se gratte le dos. Mais tu n'es pas folle. Si j'ai bien compris, tu penses que nous sommes trop personnels, tu voudrais que nous nous aidions un peu...

Mon nez plonge encore.

— Ça se défend! Echanger des tuyaux, des affaires, du piston... Tout le monde y trouverait son compte.

Mon nez ne bouge plus.

— A condition que ça se passe entre types du même

poids. S'il s'agit de remorquer des ballots du genre Milandre, très peu pour moi!

Très absorbée par la contemplation du lustre, je me tais
longuement pour désapprouver cette sortie. Puis je risque :

— On a toujours besoin d'un plus petit que soi.

Nouy s'esclaffe :

— Pour lui parler de sa taille, oui! La comparaison
réconforte.

Brute, va! Tu me plais. Tu as de l'étoffe. Ce n'est pas
le genre d'étoffe qui peut faire un drapeau, mais on n'y
coupera jamais l'habit noir de Tartuffe. Un rat? Jamais
de la vie! La Chouette ne t'a pas regardé. Carré, trapu,
tout en mufle et en épaules, la main large et posée à plat
sur ton bureau... Un plantigrade! Un ours. Un ours épilé
dans un pyjama de soie. Féroce pour la plupart, inoffen-
sif pour quelques-uns. On t'aura, Martin, on te fera danser pour un rayon de miel.

— En définitive, qu'est-ce que tu veux de moi?

Ce n'est pas facile à dire. Je n'en sais rien au juste. Si
je m'explique, je vais tomber dans le pathos et c'est le
genre qu'il me pardonnera le moins. Mais il y a une façon
d'accommoder les mots. Pour une Marie Calien, on sort
le grand singulier, on lui parle *du* service. Devant Nouy
— moins fier et plus faraud — sortons le petit pluriel,
réclamons *des* services. J'improvise :

— Ce que je veux? Mes ambitions sont peut-être un peu
plus... un peu moins... un peu différentes des tiennes.
Nous en reparlerons. Aujourd'hui, je viens te mettre à
contribution. A charge de revanche, d'ailleurs.

La tête de Serge oscille à petits coups rapides pour ap-
prouver ce discours. Régulier! Un dur oblige ses potes. Je
cherche désespérément ce que je pourrais bien lui demander. Enfin mon regard rencontre de nouveau les photos
dédicacées. Mais oui! Comment n'y ai-je pas pensé plus
tôt?

— Voilà. J'ai une amie, Catherine Rumas, une fille
splendide, qui voudrait faire du cinéma.

— Facile!

Le coupe-papier fend l'air. Une lourde ironie fait tomber la lippe de Serge.

— Facile, si elle est facile. Ce ne sera pas la dernière jeune première dont la fesse ait du talent.

C'est bien ce que je craignais. Mais, sans me laisser le temps de protester, Serge fait machine arrière.

— Je blague. Il y a toutes sortes de filles dans ce milieu-là. Des putains comme des pucelles. Si la tienne est vraiment très belle, Goldstein — c'est un ami à moi — Goldstein sera peut-être intéressé. Mais qu'elle ne s'en fasse pas un roman, ta Catherine! Elle n'a pas beaucoup de chances d'aller plus loin que la figuration ou le rôle muet.

— Ça suffira pour commencer.

— Bon! Mais...

Ma parole, ce lascar semble avoir des scrupules. Y aurait-il des fleurs sur son fumier, un secteur réservé dans cette âme de truand?

— Mais tout de même... une vraie jeune fille... court des risques...

— Celle-ci n'en court plus.

— Oh! fait Serge, avec une intonation scandalisée qui, dans sa bouche, est cocasse.

L'étonnement fait rouler ses épaules. Il m'observe de biais avec une insolente sympathie.

— Curieux! Je te voyais plutôt fréquenter des nonnettes.

— Je viens bien chez toi.

Attrape ça, mon brave! J'attends la riposte. Mais l'ours se contente d'un grognement bref. La prudence me revient. Je saute sur une nouvelle inspiration.

— Autre vœu. J'en suis confuse, c'est pour moi. Je fais installer le téléphone à la maison. Connais-tu une...

Suis-je sotte! Le mot « combine » ne veut pas franchir la barrière de mes dents.

— ... Un moyen d'abréger les délais.

Au tour de Nouy de faire « oui » avec le nez. Mais

cette négligence dure peu. Malgré moi, mon regard s'est
détaché du plafond et, littéralement, lui tombe dessus.

— Et connais-tu un moyen d'être un type énorme? Un
moyen de transformer un Nouy quelconque en Nouy quelqu'un?

— Hein? fait Serge, abasourdi.

Ça m'a échappé. Impossible de me dégonfler : il faut
y aller de ma tirade.

— Je vais te dire où tu en es, Serge. Tu as tripatouillé...
enfin, soyons gentille, l'argot aussi a ses euphémismes,
disons : tu t'es dépatouillé pendant et après la guerre.
Que ce soit dans le beurre, la laine ou le caoutchouc, tout
le monde s'en fout. Pas vu, pas pris, pas coupable. Mais
depuis deux ans qui a du plomb dans l'aile? Qui ne sait
plus quoi faire?

Mauvais signe, quand remuent les oreilles du fauve.
Celles de Nouy bougent. Pourtant il a sagement croisé les
bras sur son sous-main. Il regarde fixement l'encrier
comme s'il voulait le boire, jusqu'à la lie.

— Je les entendais déblatérer derrière ton dos, l'autre
jour : « Serge n'a jamais eu d'affaires sérieuses sur les
« bras. Il a fumé son cigare! Maintenant, il mégote... »

— Ah! les vaches! Ils disaient ça?

Grand coup de poing sur le sous-main de maroquin
rouge. Le visage se ratatine. Nouy n'a pas senti l'astuce,
pourtant cousue de fil blanc. Il rage. Mais il joue franc
jeu.

— Je me demande de quoi tu te mêles. Il y a des
coups de pied au cul qui se perdent. Le pire, c'est que
c'est vrai. J'ai mis un peu de fric à gauche, mais pas assez
pour vivre de mes rentes. D'ailleurs tous les six mois une
dévaluation m'en croque la moitié. Il faudrait le faire travailler. Voilà bien le hic. Je n'ai aucune compétence, moi.

Hésitation. Puis soudain il se déboutonne.

— Et puis on a des habitudes. On gagne cent fois plus
par le trafic que par le boulot et le risque est tellement
plus excitant! Ça devient un vice. Les affaires normales
nous ennuient. Regarde tous les anciens grossiums du

marché noir : les uns après les autres, ils se font tous coffrer pour escroquerie.

Le chien aboie : voici Milandre. J'empoigne mes béquilles et pilonne dans la haute laine, vers la porte. Nouy me suit, me souffle rapidement dans l'oreille :

— Je n'en suis pas là, remarque! Je n'en suis pas là.

Puis sa bonne grosse patte tombe sur mon épaule malade.

— Entendu pour Catherine et pour ton téléphone. Mais, dis-moi, tu n'es pas venue pour ça. On t'a chargée de me contacter, hein?

— Pas encore.

J'ai eu du mal à garder mon sérieux. Mais je suis ravie; j'ai réussi à prononcer les deux mots sur le ton voulu : celui qui infirme la négation et permet de mentir sans s'écarter de la vérité.

*

Luc renifle. Le vent redouble. Je me lance, hop et me balance vivement sur mes béquilles.

— Et maintenant, rue des Pyrénées!

— Non, dit Luc. J'ai eu la prudence de téléphoner. Pascal assiste à un consistoire. Rentrons.

Deviendrait-il entreprenant? Voilà qu'il se permet de retoucher mes programmes. Tâchons de nous en réjouir et de ne pas nous sentir lésée, parce qu'il montre un peu d'initiative. Tâchons. Je stoppe, je grogne :

— Huit jours de foutus!

Puis, regardant le trottoir :

— Pourquoi t'es-tu esbigné tout à l'heure?

Milandre répond de biais :

— Lui as-tu donné l'absolution?

XII

Le pot-au-feu glougloute, soulève son couvercle qui
retombe et tinte. Claude fait marcher le train électrique
que lui a donné Mathilde. Malgré mon épaule gonflée,
je tourne la ronéo. Ma tante tape à toute vitesse :

— On ne s'entend plus, dit-elle.

Combattant le bruit par le bruit, elle s'arrête une
seconde, allonge le bras, tourne le bouton de la T. S. F.,
qui se met à crachouiller de l'histoire. *Vous allez entendre
des commentaires sur la prise imminente de Siou Tchéou*
par les troupes de Mao Tsé Toung, sur la reprise du travail dans les mines, sur la création d'une nouvelle muni-
cipalité dans le secteur sov... Déclic. Mathilde se réfugie
dans les grandes ondes. *Si vous ne vous sentez pas bien,
prenez donc...* Nouveau déclic. Ondes courtes. Quart de
phrase anglaise, sifflement, morse, quart de phrase iniden-
tifiable et, enfin du Tino : *Malgré les sermen-ents, les
invit-teû...* Mathilde, découragée, recommence à taper :
métronome pour quadruples croches. Et, soudain, on
sonne. Je crie :

— Ne bouge pas. Ce doit être Catherine. Rappelle-toi
ce que je t'ai dit.

— Cette fille! Chez nous! Enfin, va! murmure Mathilde
avec dégoût.

Après avoir soigneusement refermé la porte du capharnaüm, j'ouvre la porte d'entrée. C'est en effet Catherine

qui me rend sa première visite. Elle devait venir à quatre heures. Elle s'excuse avec des phrases banales que transfigurent sa voix chantante, son port de tête enfantin et le battement précipité de ses grands cils.

— J'ai pu m'échapper. Non sans mal. Les Sainbois sont venus bridger.

Son regard se disperse en petits coups d'œil, plantant partout les épingles de sa curiosité. Mais il n'y a plus rien à voir dans le vestibule, sauf le portemanteau simili Henri II dont j'ai décapité le fronton à colonnettes, sauf moi-même qui essaie de ne pas faire le gros dos et de rester bien droite, parallèle à mes béquilles. D'ailleurs je me hâte vers ma chambre, dont je pousse la porte. Bonne réaction. Catherine se tait brusquement.

— Vous vivez dans cette...

Forçons-nous un peu. C'est une femme et qui n'est pas très fine.

— Dans cette cellule, oui. Tout ce qui meuble une pièce m'ôte de la place. Je comprends très bien les Arabes, qui n'ont qu'une natte. Asseyez-vous là, sur mon lit.

Mieux qu'intimidée... elle est impressionnée, ma Catherine. La voici en état de grâce. C'est une affaire qu'elle soit venue. Chez elle, dans son milieu, défendue par sa famille, son aisance, ses bibelots, elle ne se laisserait sans doute pas aller. Mais ne lui permettons pas de réfléchir et de me soupçonner de gueuserie. Faisons de la puissance. Je range mes béquilles le long du mur, me rattrape aux barreaux de mon lit, m'installe près d'elle.

— Le cinéma vous intéresse toujours, Cathie? Je crois avoir trouvé ce que vous m'avez demandé.

— Ce que je vous ai demandé? répète Catherine, étonnée.

De fait, elle ne m'a rien demandé. Elle m'a seulement fait part d'un rêve vague. En vingt-quatre heures de démarches, sans appui, sur la seule recommandation de sa beauté, elle intéresserait sans doute une demi-douzaine de producteurs. Mais elle est de ces gens qui n'obtiennent rien, parce qu'ils ne vont jamais plus loin que leurs désirs.

Un coup de pouce, c'est tout ce dont elle me sera rede-
vable (il est vrai que ce coup de pouce, pour le donner
à tout le monde, il faudrait rappeler Hercule). Je plonge
la main sous le traversin. Petite mise en scène. Une lettre
garée sous mon traversin, ça donne une idée de l'intérêt
que je porte à la fille du percepteur! Cette lettre au bas
de laquelle s'écrase la signature de Nouy est rédigée dans
le style du bonhomme.

*Vu hier soir the right man in the right place, pour ta
ligne. Vu aussi Goldstein, qui malheureusement part pour
Nice. A son retour, dans un mois, expédie-lui ta Catherine
(2, rue Crébillon, VIᵉ). Le tout, S. G. D. G. La patte.
Serge.*

P. S. — *Sans moraliser, d'accord! Ce n'est pas d'hier
que je cherche un job solide. Tu peux en parler autour
de toi. Mais tu sembles en dehors du circuit.*

Bien entendu, je ne montre pas la lettre et me contente
de lire le début du premier paragraphe.

— Vous avez votre chance. Goldstein vous recevra dès
qu'il sera rentré.

— Goldstein? C'est un producteur?

Comme j'ignore totalement qui est Goldstein, mieux
vaut sauter par-dessus la question.

— Au besoin, je vous accompagnerai.

— Mon Dieu! fait Catherine, si bousculée qu'elle en
oublie d'être contente. Elle ajoute tout de même d'une
voix sucrée : Merci, ma petite Stance. Nous irons ensemble.

Parfait. Elle ne s'en dédira pas, par politesse (comme
moyen de contrainte, la politesse, on ne fait pas mieux).
Inutile de s'étonner de son absence d'enthousiasme. Sans
doute, comme beaucoup d'autres, usait-elle du rêve comme
de l'amour : en cachette et souhaitant qu'il n'arrive rien.
La voilà coincée. Mais ceci n'est qu'un prologue. Continuons le jeu. Je me relève, je me traîne jusqu'à la porte
de communication derrière laquelle sévissent encore la
T. S. F.. l'Underwood et le train électrique. Entrou-

vrons-la : assez pour laisser passer quelqu'un, pas assez
pour permettre à Catherine d'admirer le capharnaüm.

— Claude!

Scène seconde. Pourvu que tout aille bien! Mathilde,
par l'entrebâillement de la porte, me passe le petit. Je
l'empoigne par le col roulé de son chandail.

— Je n'avais pas eu l'occasion de vous présenter le
petit malade dont je m'occupe.

Alerte au fard! Je détourne la tête. Je rougis de plus
belle, tant ce geste est détestable et pue la gloriole de
dame patronnesse. Je mériterais qu'elle me jette : « Il y en
a d'autres qui ramassent les bêtes galeuses. Avec vous, ça
fait un beau début de fourrière! » Mais je sais à qui j'ai
affaire. Et je ne me suis pas trompée : Catherine se tasse
sur elle-même. Ça rend : elle est « remuée ».

— Vous êtes... murmure-t-elle en laissant tomber des
paupières de madone.

Par bonheur le qualificatif, lui, ne tombe pas. Je n'aime
pas les compliments qui ont d'ordinaire de vilaines
sources : la méfiance confondue, l'impuissance ébahie ou
l'autorité satisfaite. Celui-ci aurait été tout à fait insuppor-
table, si j'en juge à la tête de Catherine qui se balance
comme un encensoir. Pour un peu, on me jetterait une
auréole, comme un anneau sur une bouteille. Elle est
étonnée? Bon! C'est ce qu'il fallait. Ça suffit. Restée près
de la porte pour la commodité de l'opération, je fais « le
quadrilatère ». Les jambes en arrière, les béquilles en
avant, bien calées sous l'aisselle, je peux ainsi disposer de
mes mains dont l'une soutient Claude tandis que l'autre
lui lisse les cheveux. Cet exercice de haute école ne peut
durer longtemps. Je repasse l'enfant à Mathilde et retourne auprès de Catherine, pour soupirer :

— Je suis sûre que vous m'avez comprise, vous.

C'est gros. Nouy s'étranglerait. Mais avec cette fille nul
besoin d'émincer le morceau, que gobe tout rond sa
bouche ouverte. Elle a ce grand appétit des pécheresses
pour les mérites d'autrui. Tu as faim, petit phoque?
Voilà... Je te jette mon poisson.

*

Séance d'une heure. D'abord sur le ton soutenu. *Vous êtes de celles qui... Nous sommes de celles qu'on...* Te Deum, pour fêter la rencontre. *Car j'étais terriblement seule...* Couplet. *Et malgré tout ce que raconte un tas d'imbéciles, je sais bien faire la part des choses, moi qui n'ai du reste aucun préjugé...* Silence. *Ah! ma petite Cathie, j'aurais bien besoin d'aide. Mais vous avez tant à faire que je n'ose pas vous demander...*

Mais si! chante un petit oiseau. Catherine bisse, trisse ce « si » auquel elle ne pensera plus dans une heure. Une émotion de pacotille — une émotion de glotte, de qualité à peine supérieure à celle qui fait chialer les arpètes à la fin du grand film triste — l'empêche de me rire au nez. Elle n'a aucune idée — ni moi non plus — des choses vagues, probablement sublimes, dont il est question. Je me reproche de truquer le climat... Mais le moyen de faire autrement? On se bat contre un caractère. Mais ces sortes de mollasses, il faut les malaxer comme le beurre. D'ailleurs, nous changeons vite de ton. Le style soutenu, justement, ne se soutient pas plus d'un quart d'heure sans conduire au bâillement. Intermède. L'intermède féminin par excellence : *Tricoti, tricota, connaissez-vous ce point-là?* Catherine a spontanément sorti de son grand sac à main un peloton de coton perlé que deux courtes aiguilles traversent de part en part. Je ne l'imiterai pas, car mes doigts maintenant se refusent à ce genre d'exercice. Mais, penchée sur un début de socquette, j'apprécie, je suggère, je prévois tant de diminutions, j'avoue que j'aimerais, sur le bord, une engrélure de mailles à picot. Catherine approuve.

— Tiens, oui, ça ferait chou!... Vous disiez?...

Je rembraie, sur le ton pratique.

— Donc, nous voilà toutes deux membres d'une sorte

de Société de secours mutuel. Disons : la S. S. M. Il nous
faudrait... Je ne parle plus de votre cinéaste : nous
l'avons... Il nous faudrait un spécialiste du système nerveux qui veuille bien soigner gratuitement Claude. Je
suis assez fauchée en ce moment...

Fauchée, pas pauvre, ce n'est pas la même chose, c'est
excusable. Pourtant, par prudence, ajoutons très vite :

— Un de mes amis, qui a des capitaux... Un de *nos*
amis cherche aussi une situation où il pourrait les faire
travailler.

— Facile! dit Catherine.

Je souris. Nouy a eu le même mot, à son sujet.

— Pas tant que ça. L'argent recule, aujourd'hui, devant
les compétences.

Ne parlons pas du dernier cas, celui de Pascal, le plus
délicat. Elle n'y comprendrait rien. S'occuper d'un monsieur dont le métier est de s'occuper des autres, voilà un
service qui ressemble à un bon tour. Et pourtant...

— Ensuite? demande Catherine, insatiable.

Terminé pour aujourd'hui. Je n'ouvrirai plus guère la
bouche : Cathie s'en chargera! L'heure tourne et je commence à souhaiter qu'elle s'en aille : Mathilde a du travail, le gosse sur les bras, son dîner à préparer. Mais les
dernières minutes seront pour moi les plus instructives.
Après quelques propos bébêtes qui m'effleurent à peine
le tympan, Catherine est revenue à son dada : le cinéma.
La voilà qui critique l'adaptation à l'écran d'un roman
d'amour célèbre. Soudain sa voix change, ses doigts se
crispent, tout son visage est en mouvement, toute niaiserie
en disparaît. Elle prend parti, violemment. Pour la passion. Contre l'eau de rose, la sensiblerie des pelliculards.

— Ils n'avaient pas le droit de réduire le sujet. A force
de le rendre commercial, ils finiront par le rendre ridicule,
l'amour.

L'amour!... La prononciation la trahit. Pas d'A ma-
juscule, mais une insistance musicale sur la syllabe mour,
prononcée comme mou, presque sans *r* et avec une ferveur de doudou. Avec ça, des yeux de chaisière effarée par

un sacrilège. Si étonnant que cela paraisse, j'ai devant moi une sentimentale! Si profondément sentimentale qu'elle est capable de l'être à répétition. Si fleur bleue, parmi les trois catégories d'enfant de Marie (fleur bleue, bas bleu, cordon bleu), que cette fleur a résisté à plusieurs cueillettes. Comme pour Nouy, la remarque s'impose : voici le secteur réservé. Mais son cas est bien plus douloureux. Ce qu'elle vénère est cela même qui, en elle, est gâché.

— Huit heures! Je file. On se revoit quand?

— Le plus souvent possible.

Ce sera prudent, avec cette cervelle qui a besoin de la serinette. Je la reconduis. A la porte, Cathie passe aux effusions : bise à droite, bise à gauche. Je crains que ça ne lui coûte pas beaucoup plus qu'un coup de tampon à une postière et, dès qu'elle a le dos tourné, je m'essuie la joue. Mais je rentre, toute voûtée, dans le capharnaüm. Je ne suis plus raide ni parallèle à mes bouts de bois. Franchement, de nous deux... qui donc a remué l'autre?

XIII

Au tour de Pascal.

Cette fois, je n'avais pas mes coudées franches comme avec Luc, Serge ou Cathie. Du temps de *Jean-Jacques Rousseau*, il n'était jamais venu chez nous comme tant d'autres camarades de mon frère. Il était investi d'une charge qui le rendait « auguste », l'entourait d'une palissade d'obligations, tenait les gens à distance. Trois semaines de manœuvres, quatre visites successives furent nécessaires pour l'accrocher.

La première fois que je pus me rendre rue des Pyrénées, où Bellorget habitait près du temple de Charonne, je le trouvai en conférence avec une dizaine de jeunes gens. Il sortit, laissant la porte entrouverte, ce qui me permit d'apercevoir un bureau de type commercial, surmonté d'un crucifix de bois nu et entouré de fauteuils de rotin. Pressé, visiblement gêné, Pascal s'excusa de ne point me recevoir et, tout de go, me demanda l'objet de ma visite. Je ne pouvais tout de même pas lui répondre, de but en blanc, que cet objet, c'était en quelque sorte lui-même. Trop vif élan tourne en culbute. Prise de court et préférant passer pour fâcheuse que pour hurluberlu, je lui parlai rapidement de Nouy, de Claude, de l'entraide, de la « S. S. M. »... Pascal parut amusé. Peut-être soulagé. Un peu déçu aussi.

— C'est à voir, répondit-il, évasif. J'en parlerai. Nous voyons beaucoup de monde.

Et très aimable, trop aimable, il me reconduisit jusqu'à la rue, tambour battant.

Le dimanche suivant, laissant pour une fois le gosse à
Mathilde — ce que je n'aimais pas faire — j'allai surprendre mon pasteur au milieu de ses ouailles, au temple
même. Catherine m'accompagnait, curieuse d'assister à un
culte protestant. Scrupuleuse ou, si l'on veut, polie, je pris
bien soin d'arriver avant l'Invocation. Précaution apparemment inutile : la moitié des fidèles arrivèrent en retard,
bien après nous.

— A l'église, les gens s'amènent à l'Evangile! chuchotait
Catherine.

Impossible de la faire taire, de l'empêcher de souffler
ses petites remarques dans le creux de sa paume.

— Tiens! Ils ont ça aussi, comme nous.

Comme nous! Je n'étais rien, moi : en tout cas, pas
responsable des serments de mes parrain et marraine.
Quant à Cathie, catholique du type quatre-fois-dans-la-vie
(baptême, communion, mariage, enterrement), bien décidée à ne faire qu'un usage mondain des pompes de sa
propre Eglise, que pouvait-elle se sentir de commun avec
elle? Je finis par lui dire, agacée :

— Taisez-vous donc, voyons!

J'écoutais Pascal avec étonnement. Après le psaume,
pour la lecture d'Exode 20, c'est-à-dire du texte intégral
des Commandements de Dieu, Bellorget avait repris sa
voix de téléphone, cette voix de tête, de lecteur de réfec-
toire. Il la garda jusqu'au sermon. Alors sa voix de fonc-
tionnaire de l'Eglise réformée et l'autre, celle de Pascal
Bellorget, se chevauchèrent curieusement. Fallait-il souhaiter qu'il n'en ait qu'une?... Déjà bien habitué aux artifices
de la prédication, il surveillait son débit, ne ratait pas une
inflexion ni un accent, réussissait de rapides envolées :
Ah! mes frères!... Puis soudain il s'embrouillait dans un
commentaire, dans une liaison. Un petit rictus découvrait
sa canine, pointue comme une aiguille, pendant une seconde : le temps de coudre hâtivement une formule toute
faite à une vérité première...

La bénédiction donnée — avec un grand geste de chasse-mouches qui me gêna — il redevint civil et se glissa parmi la foule, qui s'écoulait lentement. Marchant comme sur des œufs et jetant de brefs regards inquisiteurs par-dessus ses lunettes, il allait de groupe en groupe. Il serrait des mains avec une nonchalante componction. Je l'attendais près de la porte du temple. Quand il s'approcha, je vis son sourire tomber entre lui et moi, comme une barrière.

— Vous avez voulu me voir dans mes attributions? Je n'ai pas été trop mauvais?

L'approbation qu'il quêtait ne vint pas.

— J'aime tout de même mieux Notre-Dame! dit sottement Catherine, qui considérait la nudité du temple avec une petite moue.

— La splendeur de ses temples nous détourne de la splendeur de Dieu! récita sèchement Pascal. Vous m'excuserez, j'ai au moins quinze personnes à recevoir.

Il fit un pas, se retourna vers moi.

— A propos de Nouy... Peut-on vraiment le recommander? C'est délicat. Quant à votre petit malade, on m'a signalé qu'il existe des institutions spécialisées...

Je rentrai, furieuse et secouant le bras de Catherine.

— C'est délicat!... Vous pensez! Il a peur. Peur de se compromettre. Et ce conseil pour Claude... Si nous avions envisagé de le mettre dans une institution pour enfants paralysés, il y serait déjà. Il m'évite, c'est clair.

— Il s'habille bien, répondait Catherine, indifférente. Mais il devrait porter des lunettes d'écaille.

Je retournai, le mardi suivant, rue des Pyrénées, en compagnie de Mlle Calien, qui avait une course à faire place Voltaire. Il me devenait de plus en plus difficile de sortir seule. A deux reprises je m'étais effondrée et j'avais eu toutes les peines du monde à me relever sans aide. Encore une fois, Pascal — que je n'avais pas voulu prévenir pour l'empêcher de préparer quelque excuse — était absent : il venait de partir pour la « maison » de la rue de Clichy.

L'entêtement est mon pire défaut. Huit jours plus tard

je revenais, seule, après avoir pris soin d'envoyer un pneu. Ce fut un beau tour de force. Il neigeait. Voulant ménager la bourse de Mathilde, je m'étais refusé un taxi, j'avais pris le métro à la porte de Charenton. A Daumesnil, une faiblesse m'empêcha de descendre à temps et je ratai la correspondance. Pour limiter mes efforts, je décidai de faire le tour par République, ce qui allongeait considérablement mon trajet, mais me permettait de ne changer qu'une fois. Néanmoins je m'offris un beau patatras dans un escalier et dus me faire remettre debout par un petit sergent de la coloniale. Rue des Pyrénées, au moment d'arriver, un de mes pilons glissa sur la neige. Nouvelle chute. Le rebord du trottoir me fendit légèrement l'arcade sourcilière. Dix passants me relevèrent, me conduisirent au plus proche pharmacien. Quelle aubaine! J'en profitai aussitôt pour téléphoner à Pascal, qui accourut et m'emmena chez lui, couronnée de bandes Velpeau, très satisfaite d'un incident qui me fournissait enfin une sensationnelle entrée en matière.

*

La salle d'attente, d'ailleurs, était vide. Vide aussi le salon de rotin. Pascal m'installa dans un fauteuil avec une sollicitude un peu trop poussée, puis s'assit à son bureau. Comme Nouy, il se mit à jouer avec un coupe-papier. Mais le coupe-papier était un honorable souvenir de guerre, en cuivre de douille, et l'attitude différente. Ni offensive ni défensive. Neutre. Un nouveau Pascal. Le visage n'était plus composé, abrité par ses lunettes. Un peu trop souriant, certes, un trop « oint » de bienveillance, mais attentif, aux aguets derrière ses hublots.

— Vous êtes terriblement imprudente, Constance. Qu'aviez-vous donc de si important, de si pressé à me dire?

Puisque Bellorget m'appelait par mon prénom, je pouvais lui renvoyer le sien.

— Tous les gens qui viennent vous voir, Pascal, ont-ils

quelque chose d'important à vous dire? N'est-ce pas plutôt
votre rôle à vous, pasteur, de leur y faire penser?

Pascal eut l'air étonné.

— Vous avez raison, dit-il. Mais je ne suppose pas que
vous soyez venue ici pour entendre parler du spirituel.

— Ça dépend de ce qu'on entend par là. S'il existe plusieurs cuisines, il n'y a jamais qu'un feu. Pour moi,
Pascal, c'est ce feu qui compte. J'aime qu'il soit vif et...

— Et vous aimez les paraboles! me décocha Pascal.

Première touche : à son avantage. Je me gourmandais :
« Un peu de simplicité, ma fille! Des phrases, c'est bon
pour Catherine; lui est du bâtiment. Malgré la chanson,
*quand un camelot rencontre un autre camelot, qu'est-ce
qu'ils se racontent?*... Tout, sauf *des histoires de camelot.*
On n'édifie ni le curé ni le député comme eux-mêmes édi-
fient leurs fidèles et leurs électeurs. Parlons un peu de la
pluie et du beau temps. »

Ce que je fis. Les rigueurs de la saison s'offraient à la
dissertation. L'O. N. M. ne s'était pas trompé la veille en
annonçant de la neige. « La moitié des gens en profiteront
pour ne pas venir au culte », fit remarquer Pascal. Nous
nous rapprochions du sujet central. Et je songeais :
« Affreux professionnel qui ne peut se rapprocher de son
métier que par les petits côtés! » Profitant toutefois de
cette disposition d'esprit, je me mis à lui poser une foule
de petites questions (« Cernons-le. Et, accessoirement,
complétons notre fichier »). Rassemblant ses réponses,
j'appris ainsi que la guerre l'avait beaucoup retardé. Il
avait dû descendre pendant l'occupation à Montpellier
pour y faire ses quatre ans de théologie à la Faculté protes-
tante, d'où il était sorti en 1946. D'abord *proposant* auprès
d'un pasteur des Charentes, il avait été consacré l'année
suivante. Pour des raisons de famille et de convenances
personnelles, il avait désiré revenir à Paris. Il venait d'être
élu par cette paroisse de Charonne dont le Synode natio-
nal avait bien voulu ratifier le choix.

— Maintenant, Pascal, vous allez vous marier?

La question sembla l'embarrasser. Il enleva ses lunettes,
en essuya les verres avant de répondre :

— Sans doute... Enfin, c'est dans l'ordre des choses normales. Voyez-vous, Constance, le mariage est pour nous
problème délicat. Nous gagnons... On nous alloue... un
peu moins que le minimum vital. Nos femmes sont à la
fois obligées de trimer comme des servantes et de tenir un
certain rang. Les candidates ne sont pas légion. Filles de
pasteur, le plus souvent...

Ces propos simples, Pascal les débitait d'une voix égale,
qui n'aurait pas dû m'agacer, qui pourtant me trouvait
hostile. Une nouvelle question, mal posée, m'échappa :

— En définitive, quelles sont vos ambitions?

Pascal bêla un petit rire indulgent.

— Mon avenir? Mais, Constance, un pasteur n'en a pas.
L'Eglise réformée n'a pas d'évêques. Ce que nous sommes,
nous le restons.

— Je n'entendais pas votre avenir dans ce sens-là.

L'ironie (une ironie affable) qui relevait encore les coins
de la bouche fit place à l'inquiétude. Bellorget recula sur
sa chaise, haussa le cou, allongea les lèvres...

— Vous vouliez dire...

Je n'avais rien voulu dire : j'avais saisi une occasion.
Je ne bronchais pas. J'attendais la suite, comme on attend
la giboulée après la première goutte d'eau.

— Vous vouliez dire que nous ne pouvons pas rester
ce que nous sommes, qu'il faut...

Tous les verbes édifiants pouvaient convenir, mais je
ne lui en fournis aucun. Merci bien! Je ne pouvais pas
m'offrir ce ridicule. C'était à lui de l'affronter. Il n'osa pas.
Cependant il n'osa pas non plus se dérober tout à fait et
m'octroya un satisfecit.

— Mon Dieu, fit-il sourdement, moi qui vous ai prise
un moment pour une sorte de mouche de coche! Oui, je
l'avoue... et j'avoue craindre encore que vous considériez
le bien comme un des beaux-arts. Quel est votre ressort?
Quel avantage...

— Et vous, Pascal, vous en poursuivez donc un?

Pascal sourit. Sûr de lui, cette fois, il leva le bras à la verticale.

— Et ça!... dit-il fortement, l'index pointé vers le plafond, dans la direction générale du séjour des élus.

Le bras retomba sur le bureau, sans bruit. Et Pascal, se laissant surprendre par le pasteur Bellorget, tomba dans le prêchi, prêcha :

— Voyez-vous, j'ai derrière moi vingt siècles de foi et vous n'avez, vous, qu'une vingtaine d'années de courage. Je veux, peut-être mal, une chose que je connais bien. Vous voulez sans doute beaucoup mieux que moi, une chose que vous ne connaissez pas.

J'étais perplexe. « Que répondre à cela, Constance? Si tu piques le doigt dans la direction du plancher, en disant : « Et la terre? Et ma vie? Je ne crois pas à l'autre... » Si tu ajoutes que faute de mieux tu te sers d'autrui pour vivre... de lui, au besoin... et que sa montée au plafond peut faire partie du programme, que tu l'aiderais volontiers à grimper, à décrocher la timbale... oh! là là! Tu le verras bondir, horrifié, criant que la grâce lui suffit, que tu renouvelles à son usage la tentation sur la montagne. Au contraire, si tu te tais, il pensera que tu avoues une infirmité, plus grave que l'autre et qui mérite ses soins. Tu auras devant toi un apôtre alléché par ton cas. Il sera dans son rôle et toi dans le tien, qui est de l'y amener (poussette) en toutes occasions. » Les lunettes braquées, les mains glissant sur le bord de son bureau comme sur le bord d'une chaire, Pascal continuait :

— Vous n'êtes pas la première qui cherchiez la formule d'une sainteté laïque. Et votre façon de la concevoir ne l'éloigne pas beaucoup de la nôtre. C'est en sauvant les autres qu'on se sauve le plus facilement. Seulement, vous, vous travaillez pour le fini et nous pour l'infini.

— Alors comment pouvez-vous en faire si peu?

L'interruption parut déplaire à Pascal. Mais j'avais empoigné mes béquilles et je poursuivais, ponctuant mes phrases de légers coups de pilon.

— Je vous vois tous immobiles, vous qui avez des santés et des certitudes. A quoi vous servent-elles?

Malgré le pluriel, Pascal dut se sentir atteint. Il mit sa main devant lui comme un bouclier, en marmonnant l'ex-cuse classique :

— La faiblesse humaine ne signifie rien contre ce qui...

Mon sourire (le plus méchant de ceux dont je dispose) l'arrêta.

— Il est vrai, avoua-t-il, que cette génération se méfie des conseils qui ne sont pas illustrés par des exemples.

Voilà. Nous y étions. Encore un petit effort. Un peu de cette humilité, dite chrétienne, qui rend la confusion dé-corative. Le nez de Pascal s'abaissait selon les meilleures traditions du genre.

— Evidemment, murmura-t-il, je ne suis pas cet exemple.

Puis dans un souffle :

— C'est ce que vous vouliez me dire, n'est-ce pas?

J'inclinai la tête, soudain gênée, confuse. Je n'avais plus aucune envie de me moquer de Pascal. Il n'était, lui, ni penaud ni mortifié, ni même grave. En vain essayais-je de le comprendre : « Il fait *mea culpa* comme on se gratte. C'est un tic pieux. » Je protestai aussitôt : « Tu grinces, tu grinces! Mais tu n'auras jamais cette aisance, cette modestie bien huilée. » Bellorget, qui s'était repris, disait d'un air dégagé :

— Vous grelottez, Constance! Voulez-vous un peu de thé très chaud?

*

Je rentrai pour dîner, fourbue, décidée à me coucher séance tenante. Il fallut changer d'avis en apercevant Ma-thilde qui repassait le linge de la voisine du dessous, récemment accouchée. Encore un de ses tours, répondant à une de mes inconséquences! C'est moi qui avais été cher-cher pointes et brassières. Moi, je suis la bonne âme.

Mathilde, la bonne. Profitant de mon absence, elle essayait de me chiper l'ouvrage.

— Laisse ça, tante, c'est mon affaire.

Mathilde me céda la place, de mauvaise grâce.

— Tu veux repasser avec l'épaule que tu as? Sérieusement, tu la vois ton épaule? Tu me feras le plaisir d'aller voir Rénégault ces jours-ci.

Mon manteau enlevé, non sans mal, je m'étais installée devant la table pour repasser assise. L'épaule incriminée essaya de se soulever. Et moi de mentir :

— Vulgaire rhumatisme. Il me gêne un peu. Il ne me fait pas mal.

— Tatata! fit Mathilde.

A ce moment, j'effleurai rapidement le fer de l'index pour voir s'il était assez chaud.

— Il est froid, ton fer! Comment pouvais-tu repasser avec ce glaçon?

Appliquant cette fois toute la main, je répétai : « Froid, il est froid. Le courant est coupé. » Mais un léger grésillement, une odeur de roussi m'alertèrent en même temps que Mathilde.

— Tu es folle? cria-t-elle.

Stupide, je considérais mes doigts gaufrés par la brûlure. Je n'avais absolument rien senti.

XIV

L'AVANT-VEILLE de Noël, deux monteurs stupéfaits vinrent poser le téléphone.

— Ce n'est pas souvent, m'avoua l'un d'eux, que je fais un branchement dans une chambre de bonne. Encore une lubie de votre patronne, hein?

A quoi bon le détromper? Mes béquilles auraient dû le faire : il n'y a pas de camériste bancale. Je me précipitai sur l'appareil pour lire mon numéro sur la rondelle blanche, au centre du disque. Entrepôt 76-67... Déception! Grimace! Entrepôt ne m'inspirait guère. J'y moisissais comme une marchandise. Mais, la mnémotechnie volant à mon secours, j'employai le procédé classique, je remplaçai les chiffres par les lettres de la même case et j'obtins ENTrons. Dans une ère nouvelle. pardi! *Entrez, entrez, messieurs, mesdames...* Fredonnant cette scie, je lançai des appels dans toutes les directions pour notifier ce mot de passe aux usagers : Serge, Pascal, Mlle Calien... Et même Catherine, qui pourtant habite de l'autre côté de la rue. A l'autre bout du fil, ils criaient tous : « Bon Noël! » en y ajoutant diverses formules, polies, pieuses ou truculentes. Nouy fut le plus bavard. Il voulait absolument m'emmener réveillonner dans une boîte de nuit, il beuglait dans l'appareil :

— Laisse-toi faire, voyons! Je prendrai soin de tes quilles.

Invitation saugrenue! Je dus aussi décliner une proposition de Mlle Calien qui m'offrait deux places — une pour moi, une pour Claude — au goûter de l'Aide aux infirmes. Ça non! J'étais encore capable de me payer une aile de dinde et une part de Saint-Honoré. D'ailleurs, à chacun ses fêtes. Pourquoi chiper, moi incroyante, au calendrier religieux un prétexte à bombance?

Me réservant pour les étrennes, je ne mis rien au nom du petit Jésus dans les chaussures orthopédiques de Claude et, comme Noël tombait un mardi, je le laissai aller avec sa mère au sapin municipal. Quant à moi, je ne sortis pas de la journée, je l'employai à confectionner une petite culotte de velours noir, en compagnie de Mathilde. Ma tante avait jadis eu quelque piété, mais au lendemain du bombardement elle avait déclaré tout net qu'elle ne rendrait plus jamais hommage à une Providence coupable d'avoir laissé massacrer toute sa famille.

— Tu aurais pu au moins aller au cinéma, me répétat-elle quatre ou cinq fois. Quelle pauvre vie je te fais mener!

A mon sens, c'était plutôt moi qui empoisonnais l'existence de Mathilde. La mienne ne m'ennuyait pas. Plus exactement : elle m'ennuyait moins. J'attendais, tapie au centre de ma toile; j'attendais mes mouches.

*

Premier résultat, le jeudi 27. Comme j'ouvrais ma fenêtre, Catherine cria de l'autre côté de la rue.

— Goldstein est rentré de Cannes. Il me convoque. Pouvez-vous m'accompagner chez lui à deux heures, cet après-midi?

A mon grand regret, je ne le pouvais pas. Nous avions trop de travail : en fin d'année, la ronéo tournait à plein rendement pour satisfaire les commandes des commerçants soucieux d'expédier leurs offres de services et leurs

nouveaux tarifs. Mathilde était débordée. Je dus laisser
aller Catherine, qui grimpa me voir dans la soirée.

— Ça y est, Constance! Ça marche! Votre ami Nouy
était là. Il a plaidé ma cause avec une chaleur! Je dois
passer au studio la semaine prochaine pour faire un bout
d'essai.

Elle semblait très excitée. Impossible de placer un mot :
sa voix ronflait comme une toupie. Je parvins enfin à
dire :

— Que vous a-t-on offert exactement?

— Je ne sais pas très bien. Ils parlaient d'un rôle de
statue... d'une statue qui doit s'animer, dans une opérette
filmée. Enfin on verra bien... Mais vous ne dites rien, vous
n'êtes pas satisfaite?

— Mais si, mais si...

Toujours la même chose : j'étais sans chaleur, après
coup. J'étais inquiète, gênée d'être gênée, de trouver la
mariée trop belle. Je pensais : « Nouy m'enlève le bénéfice de l'opération. Pourquoi s'occupe-t-il directement de
cette affaire? On ne lui demandait qu'une adresse. » Un
soupçon m'effleura. Puis je le rejetai, je me contraignis à
conclure : « Il fait du zèle. A noter. »

*

Le lendemain, visite inopinée dudit Serge qui entra,
tout chapeauté, superbe, traînant les pans d'un immense
pardessus en poil de chameau qui déplaçait beaucoup
d'air et tenant entre le pouce et l'index la ficelle d'or
d'une boîte de marrons glacés. Je mis aussitôt le cap sur la
cellule.

— C'est bien ce que j'imaginais, dit-il en considérant
les murs. Mademoiselle cultive le vice inverse du mien.
Elle fait de la pauvreté comme je fais du luxe. Beau petit
lit de fer... Hé! hé! Les grands de ce monde couchent sur
des lits de camp, depuis Napoléon... Tiens, voilà ton appa-

reil! Tu as vu, avec moi, ça n'a pas traîné. Et le lardon?
Ta Catherine m'a parlé d'un lardon...

Il fit tourner le paquet au bout de son doigt, rata son
coup, le lâcha, le ramassa en claironnant :

— A propos de Catherine... Là encore, j'ai fait ce que
j'ai pu. Je crois que ça va gazer. Il est vrai que ça dépend
aussi de la fille.

La réticence ne me surprenait pas. Nos sourires se rencontrèrent.

— Pêche premier choix, bel emballage! ajouta-t-il rapidement.

Puis un coin de sa bouche se releva, laissant passer :

— Petit noyau, malheureusement.

Nouy ne resta pas dix minutes : « Un ami » l'attendait
dans sa voiture, en bas. Quand je le vis reboutonner son
manteau, je plaçai deux ou trois phrases qui l'aiguillèrent
sur le chapitre des affaires. Il fit la moue. Non, rien de
nouveau. Il cherchait. Mollement, sans doute, et en espé-
rant ne rien trouver. Je feignis de m'abîmer dans mes
réflexions.

— Que trames-tu encore? grogna-t-il.

Du fond de mes pensées remonta une Constance importante qui répondit avec autorité :

— Quel genre de commerce ou d'industrie envisages-tu?
De combien peux-tu disposer?

— Et comment peux-tu prétendre...

Il fermait un œil et me dévisageait de l'autre, avec
perplexité. Moi, je secouais mes cheveux, j'avançais la
main vers l'appareil, je murmurais avec le plus grand sérieux : « Non, c'est vrai, à cette heure-ci, Machin n'est
pas là. » Ce bluff eut raison de Serge.

— Quel genre?... reprit-il. L'alimentation, plutôt. La
faim ne passe pas de mode. Quant à la somme, c'est à
voir, je ne mets pas tous mes œufs dans le même panier.
Disons : deux à trois unités... Mais encore une fois comment peux-tu t'occuper de ça? Quelles relations as-tu donc?
Et quel intérêt?

L'intérêt! Comment résister au désir de lui écraser une belle formule sur le nez? Une formule tarte à la crème. Avec l'intonation, comme du sucre dessus.

— Tu as vaguement dû entendre parler de la *communion* des saints.

— Quel rapport? fit Serge, enfonçant d'un seul coup son chapeau sur la tête.

— Un tout petit rapport, en effet. Des sains, s a i n s. Enlève le t, garde l'idée... Tu piges?

— Votre éminence grise me charrie? gronda Serge en passant la porte.

*

Autre irruption, le soir du jour de l'an. Mathilde avait invité Berthe Alanec à dîner. Vers huit heures, comme nous venions de nous lever de table et commencions la vaisselle, un coup de sonnette retentit.

— Luc, sans doute! dit Mathilde, brandissant sa lavette.

Berthe, un torchon sur le bras, s'en fut ouvrir. Je criai depuis la cuisine :

— Tous mes vœux, vieille noix!

— Merci. Tous les miens! répondit une voix onctueuse.

C'était Pascal. Il y eut un petit moment de confusion, des deux côtés. Mathilde secouait ses mains dégouttantes d'eau grasse, enlevait son tablier. Pourquoi enlever le mien? Si Bellorget n'avait pas téléphoné, c'est qu'il avait voulu me surprendre à son tour. Dans l'état où j'étais, simplette, ça faisait plutôt biblique. De notre temps on ne choisit plus la meilleure part, on est Marthe et Marie. Je procédai aux présentations, sans m'excuser de mon débraillé.

— Visite pour visite, disait le pasteur. Excusez-moi de vous la rendre si tard. Nous n'avons guère de liberté, surtout à cette époque-ci. Ah! voici votre petit protégé...

Claude, perché sur sa chaise rehaussée par trois paquets

de papier à machine, s'amusait à pousser sur le bord de la table ce qui restait d'un cheval de carton, jadis pourvu de queue, de brides et d'oreilles. Pascal pencha sur lui une tête de bon pasteur qui-aime-ces-petits.

— Hue, dada! murmura-t-il, à court d'imagination.

— Laisse-le, y broute! protesta Claude, jetant un coup d'œil indigné sur ce célibataire pataud qui se jetait dans son rêve comme un éléphant dans un jardin.

Posant à côté de lui un sachet de bonbons (des fondants roses, mauves ou blancs, sucreries proches du platras), Bellorget se retourna vers moi. Son regard insistant m'assurait de sa haute considération. Il était clair que Claude, une fois de plus, me rendait service, me servait de référence. Sans transition, Pascal annonçait:

— Mon confrère des Billettes m'a signalé que parmi ses paroissiens il comptait un neuro-chirurgien très connu, le Dr Cralle. Nous allons faire le nécessaire pour le toucher.

Mathilde et Berthe s'étaient éclipsées. On entendait dans la cuisine des tintements de casseroles que couvrit bientôt la chanson du moulin à café. Je laissai tomber, avec un impardonnable manque de chaleur:

— Merci!

Pascal ne sembla pas s'en apercevoir et s'assit, se mit à tracasser ses lunettes, peut-être pour cacher ses yeux. Je le voyais venir, hélas!

— C'est moi qui vous remercie, Constance. Vous m'avez... Vous m'avez troublé... Plus j'y songe et plus je me dis que votre message vient de beaucoup plus loin que vous. De plus haut. Oui, oui, ne froncez pas les sourcils. Vous étiez inspirée.

Les fondants lui fondaient dans la bouche! Quel sirop! Inspirée, moi? En effet! Je m'inspire très bien toute seule. Pourtant cette nouveauté méritait réflexion. Quand on jette un caillou dans la mare, on n'a pas le droit d'être étonné par les ronds qui s'élargissent, s'élargissent, à la surface de l'eau. Ni d'être agacé parce qu'elle est bénite.

— Qu'allez-vous faire, Pascal?

Il soupira, fit un geste d'impuissance. Puis, les mains aux genoux, il se mit à se frotter les rotules, machinalement.

— Je ne sais pas. Essayer de sortir du ronron Nous nous fions trop à la parole, qui se dénature, qui s'avarie comme les conserves. Le croiriez-vous, Constance? Certains d'entre nous ont des collections de prêches. Qu'en pensez-vous?

— Brûlez-les! fis-je sèchement, sans le regarder.

Pascal tressaillit.

— Il faudrait aussi prendre des initiatives, reprit-il lentement. Or chez nous l'initiative est plus grave qu'ailleurs parce qu'elle n'engage pas que nous-mêmes. Tenez, je viens d'en prendre une petite : j'ai fait déplacer la chaire qui était au milieu du temple et que nous laissions là, par paresse. Il est de tradition dans l'Eglise réformée de la mettre sur le côté afin de ne pas donner trop d'importance au prédicateur... Eh bien! certains m'ont reproché la dépense.

— Avez-vous songé à Nouy?

Ce faux coq-à-l'âne le dérouta. Un léger crissement d'ongles m'apprit qu'il se révoltait. Enfin il secoua la tête.

— Vous le désirez vraiment? Vous ne craignez pas d'avoir des ambitions très... inégales?

— Mais sapristi, je travaille sur mesures! D'ailleurs, est-ce à moi de vous citer *Luc, XV, 7*?

— Oh! fit Pascal, plus impressionné par la précision que par le contenu de la référence, judicieusement extirpée de mon fichier.

Soudain, je le vis sourire, soulagé. Mathilde rentrait, portant haut la cafetière fumante et suivie de Berthe, qui arrondissait le bras autour du plat à gâteau.

— Heureusement qu'il reste de la tarte! disait-elle.

*

Pascal ne s'attarda pas, lui non plus. Il se faisait tard. A peine eut-il franchi la porte que Berthe, elle aussi, alla chercher son manteau et celui de son fils. Je secouai Claude. déjà tout ensommeillé, perdu dans ses mèches trop pâles.

— Et toi. tu ne me feras pas de cadeau?

L'enfant me regarda sans comprendre. Alors je le mis debout, devant moi. Puis je le lâchai, insensiblement, comme on procède avec les tout-petits qui sont en âge de marcher et que la peur paralyse. Claude oscilla, fléchit sur les genoux.

— Relève-toi!

L'âpreté de ma voix me surprit moi-même.

— Mais laisse-le donc, voyons! disait Mathilde.

Je n'en démordais pas. Fixes, mes yeux essayaient de bloquer le regard du gosse, de tirer dessus comme sur un filin. Il se redressa. Il oscilla de nouveau, remua les les bras comme des balanciers, parvint à se maintenir en équilibre, sans aucun appui, pendant quelques secondes.

Bien entendu, à peine eus-je détourné les yeux qu'il tomba sur les genoux. Et à ce moment précis, je ne sais pourquoi, je me fis cette remarque : « Tiens! Mais je n'ai pas offert mes vœux au père Roquault. » Aussitôt que Claude, becqueté par moi, reléché par Mathilde, s'en fut allé au bras de sa mère, je raflai sur la table les fondants de Pascal et j'allai frapper à la porte du vieux.

XV

MATHILDE avait raison, sans le vouloir. Pourquoi pas le père Roquault? C'est une vieille bête, mais cette bête enrichira mon zoo. Je n'étais jamais entrée chez lui : on ne se voyait que sur le palier ou dans la rue. La porte ouverte, il reçut mes vœux en pleine figure et recula comme devant une bordée d'injures, en ricanant.

— Des vœux! Qu'est-ce qui te prend? Que veux-tu que j'en fasse? Ce n'est pas comestible.

Puis, avisant le sac de bonbons que je tenais entre mes dents, mes mains étant trop occupées par mes béquilles :

— Ceci semble l'être... Tu me refiles ce qu'on vient de t'apporter, hein? Enfin, donne toujours. Je le refilerai, à mon tour, au gosse de la concierge. Sa rosse de mère en sera suffoquée... Entre, ma fille. Entre, puisque tu as tellement envie de connaître ma soue. Voilà bien la première visite que je reçois depuis...

Il ne précisa pas. J'étais déjà dans la place. La mansarde ressemblait aux nôtres. A première vue, rien que de banal : lit, table, deux chaises, rideau masquant une encoignure qui servait de penderie, paravent cernant la table de toilette ou le réchaud à alcool, un tas de livres, en vrac, sous la fenêtre. Le spectacle était sur le mur, tapissé de coupures de journaux. Le haut d'une grande affiche tricolore *Engagez-vous, Rengagez-vous* avait été collée juste au-dessus d'une plaquette d'émail *Allez Frères*, provenant de quelque banc de square. Une glace portait aux quatre coins la mention *Etat*. Immédiatement au-des-

sous du loquet avait été revissé un écriteau de la
S. N. C. F. : *Ne laissez pas les enfants jouer avec la serrure.*
Le vieux m'observait, enveloppé dans une robe de chambre
à raies jaunes qui lui donnait l'air d'un gros frelon.

— Chut! dit-il, un doigt sur la bouche. Je suis un peu
kleptomane.

— Mais, père Roquault...

— Pourquoi *père Roquault*? Père!.. Je n'ai jamais eu
d'enfants, ni de femme. Tu peux m'appeler monsieur.
M'sieur, comme la bande de crasseux qui m'ont chahuté
pendant trente ans. Ou M. Roch. Remarque, je me pré-
nomme Emile. Mais ça m'amuse de laisser croire aux
gens que je peux m'appeler Roch Roquault. Toute cette
rocaille me va si bien. Et maintenant, tu as vu, tu es
contente?... Alors, fous-moi le camp. A propos... mes
compliments pour le mioche! Tu es comme Dieu, toi! Tu
les veux à ton image.

Il tournait, il dansait autour de moi sur de courtes
jambes cagneuses une sorte de danse du scalp. Je me
tenais à quatre pour ne pas commettre une énormité.
Prendre une béquille et vlan! comme l'aubergiste de l'Ile
au trésor, lui en mettre un bon coup dans le dos... Quelle
joie! Mais je serais tombée en même temps que lui, les
quatre fers en l'air. Du reste, Mathilde meuglait :

— Constance! Constance! Où es-tu passée?

— Allons, rejoins ta mère nourrice!

Il traversa le palier, derrière moi. J'entendis encore une
fois son horrible voix grinçante, cette voix de lime mor-
dant un barreau.

— Tu voudrais bien l'avoir, hein, le vieux crocodile?

Mais la lime se brisa sur le dernier mot et presque aussitôt parvint à mon oreille un murmure, un souffle, un
chuchotement :

— Si encore tu savais jouer aux échecs...

Je n'avais pas desserré les dents. Une béquille en l'air,
appuyée de tout mon poids sur l'autre, je me retournai
pour lui dire, sèchement :

— J'apprendrai, monsieur Roch.

XVI

La belle Epiphanie! A mon grand regret j'ai dû me servir de mon téléphone pour donner l'alerte.

En effet il a fallu que ça m'arrive en l'absence de Mathilde, partie faire sa tournée mensuelle de réapprovisionnement. Glissade sur le lino, chute... la centième peut-être! Une chute de plus ou de moins, petite affaire! J'en ai pris l'habitude. Inutile de s'affoler : on reste sur place, on reprend des forces et on se relève comme si de rien n'était. Voilà des semaines que ça ne va guère et que je tiens quand même, n'avouant rien à ma tante des difficultés croissantes que j'éprouve à marcher, à saisir des objets un peu lourds, à mouvoir mon épaule droite dont l'articulation gonfle toujours et s'ankylose. Malheureusement cette fois je suis tombée sur le coude. Le bras replié sur les côtes, la main au creux de l'estomac, la tête invinciblement penchée sur le côté, j'ai parfaitement compris que je m'étais foulé ou luxé ou même cassé quelque chose. J'aurais bien voulu me débattre contre l'évidence, attendre Mathilde. Mais Claude a pris peur, s'est mis à crier. Je n'allais tout de même pas appeler au secours le père Roquault! Alors, je me suis traînée jusqu'à mon lit, j'ai réussi à composer le numéro du Dr Rénégault, puis celui de Milandre, qu'on peut appeler chez son patron.

Ils sont arrivés en même temps. Par chance, la clef était sur la porte et ils n'ont pas eu besoin de l'enfoncer. S'ils sont discrets. Mathilde pourra bénéficier d'un récit édulcoré. Luc et Rénégault, qui bêle des « Bigre! Bigre! » dans sa barbiche, m'ont allongée sur le lit et commencent à me déshabiller. Arrivés à la chemise, ils hésitent.

— Fous-moi le camp, Luc, dit le docteur. Attends de l'autre côté. Et toi, bon Dieu, reste tranquille! Depuis vingt ans, je les connais, tes fesses! Je n'ai pas besoin que tu m'aides à t'enlever ta chemise. Bigre! Qu'est-ce que c'est que cette épaule-là? Ce n'est pas depuis ta chute que l'articulation a pu gonfler à ce point!

— Non, elle enfle depuis quelque temps. Je devais aller vous voir, justement.

Rénégault palpe la région, distendue, sillonnée de petites varicosités bleues, sent sous ses doigts cette fluctuation qui signale une poche de liquide. En appuyant plus fort, il trouve la tête de l'humérus, qui a glissé en avant. Il saisit le bras au-dessus du coude et tire un peu.

— Je vois, je vois, dit-il pour s'encourager. Ce qui m'épate, c'est que ça ne te fasse pas plus mal.

Il s'assombrit, fait claquer sa langue contre son palais, reste immobile pendant quelques secondes, la prunelle fixe et le bouc frémissant. Puis soudain le voilà qui me pince le bras et tourne, d'un coup sec. Non vraiment, c'est curieux, je ne sens rien. Rénégault émet un petit sifflement qui doit être de mauvais augure.

— Est-ce qu'il arrive, dit-il, de te brûler ou de te piquer sans le sentir?

Pourquoi? Il est vrai que cela m'arrive. Le fer à repasser... Je lui montre mes doigts où persiste une trace brunâtre.

— Oui, mais quel rapport?...

Rénégault ne répond pas. Délaissant l'épaule droite, il me saisit la main gauche.

— Ecarte les doigts en éventail... Remue le pouce... Tourne le poignet comme si tu voulais ouvrir une porte.

Il surveille ces petits gestes, que j'exécute très mal. Enfin, il m'inspecte de la tête aux pieds. Il doit penser : « Maigre et moche! Où sont partis ses muscles? » J'ai la chair de poule. Son regard me gêne plus que mon épaule.

— Où est ta chemise de nuit?

— Sous le traversin.

Il s'en empare, m'aide à l'enfiler, à me glisser entre les draps. Il ne grogne pas, ne fait pas son bourru comme d'habitude. Il a pourtant l'air furieux et son maxillaire manœuvre comme s'il mâchouillait sa langue.

— Luc!

Milandre réapparaît, le gosse sur les bras.

— Alors, docteur?

Rénégault tapote la joue de Claude, ne se compromet pas.

— Luxation de l'épaule, dit-il. Mais il y a autre chose de plus embêtant. Ne bouge pas, Constance. Reste à plat. Je reviendrai tout à l'heure te réduire ça. Je n'ai pas ce qu'il me faut.

Il ajoute, faussement jovial :

— Bougre d'andouille! Comment as-tu bien fait ton compte?

Personne ne serait dupe. Il y a quelque chose de grave dans l'air. Du reste, une fois passé dans le vestibule, le Bouc sera moins discret. En prêtant l'oreille, je parviendrai à saisir, à ressouder des bouts de phrases.

— L'articulation était déjà en compote... Troubles de la sensibilité... Ce sont des signes... Maladie de la moelle, mais laquelle?... On peut craindre...

Dégringole un mot scientifique, inaudible.

— Ou bien alors...

D'autres mots techniques restent accrochés à sa barbe.

*

Milandre revient. Il est très pâle, ce qui fait ressortir ses taches de rousseur : on dirait qu'il vient de recevoir un coup de fusil en pleine figure, que sa peau est criblée de petit plomb. C'est moi qui suis obligée de le remonter!

— Ne te frappe donc pas. J'en ai vu d'autres. Veux-tu faire goûter le gosse? Il doit avoir faim. Auparavant, donne-moi le gros bouquin recouvert de papier goudron qui se trouve sur la commode entre le livre de cuisine et la rangée d'almanachs.

Luc hésite : il sait très bien qu'il s'agit du dictionnaire de médecine de mon père.

— Allons, donne! Donne ou je me lève!

J'en serais bien incapable. Mais Luc me croit capable de tout et obéit.

— Merci. Tu trouveras un pot de confitures entamé sur l'étagère de la cuisine. Tartine deux biscottes, pour Claude.

Déjà, d'une seule main, j'ouvre et feuillette le dictionnaire. Je vais tout droit à la page 749 : *Moelle épinière*. Il y a d'abord cette planche, où l'on voit une moelle idéale, que ramifient trente et une paire de racines et qui s'étend comme une palme brandie à l'envers à la gloire du mouvement. Puis cette coupe transversale, qui montre les enveloppes et les espaces entourant la substance blanche, elle-même brodée d'une étrange initiale : l'H de la substance grise. L'H du héros, pardi! Dédaignons le paragraphe « Structure », puis le paragraphe « Fonctions », ainsi que les schémas explicatifs dont certains ressemblent à des plans d'installation électrique. Je cours au troisième : celui des maladies de la moelle. De jolis noms défilent : *tabes, atrophies, sclérose, syringomyélie, hématomyélie, myélite, maladie de Friedreich, maladie de Little. Tiens,* Claude est tout près de moi! Je me débats, je lutte contre le dictionnaire, j'élimine à coup sûr la moitié de ces maladies. Mais l'atrophie musculaire peut à la rigueur me convenir. Une phrase me fait hoqueter : *ces lésions sont incurables.* Je me rattrape à une autre : *marche progressive entrecoupée de rémissions.* Mais voici la syringomyélie dont le nom chante, chante mon requiem. *Affection causée par une cavité ou une tumeur de la moelle. Le traumatisme semble y jouer un rôle. Paralysie commençant par les extrémités des mains et, dans certains cas,*

çant par les extrémités des mains et, dans certains cas, des membres inférieurs. Lésions des articulations, dissociation de la sensibilité. Mort lente par envahissement du bulbe ou complication infectieuse. Je m'enfuis, je m'arrête à peine à l'hématomyélie, je pousse jusqu'à myélite : *Inflammation de la moelle, aiguë ou chronique, produite par une infection générale ou locale, un abcès froid, un traumatisme.* Toujours le même arrêt : *guérison possible, mais rare.*

La mort encore. La mort partout. Fermons, fermons ce dictionnaire. Fermons les yeux!

Milandre s'approche, croit que je me suis assoupie, reprend le livre et se retire sur la pointe des pieds. Il ne verra pas cette larme idiote qui se faufile sous ma paupière et roule lentement sur ma joue. Je le savais! Je me suis toujours doutée de ce destin. J'ai toujours un peu considéré ma jeunesse comme une sœur condamnée qu'on soigne sans espoir. Mais je ne pensais pas la perdre si tôt. Je n'aime pas me plaindre. Aujourd'hui je ne peux m'en empêcher. J'avais déjà contre moi l'espace, puisque mes jambes me trahissent. Voici que j'ai aussi contre moi le temps, puisque je vais mourir. Pas demain, sans doute, ni après-demain, mais avant d'avoir pu vivre ce qui s'appelle une vie. Ah! le vieillard, qui de toute façon en aurait bientôt fini et qui a beaucoup vécu, on ne peut le faire mourir que très peu. Mais moi qui n'ai rien épuisé du possible, on me fait mourir beaucoup. On me gaspille. Que puis-je maintenant entre ces quatre murs?

Ricane, Constance, ça soulage. Tu as un ange gardien ricaneur. Il dit : « Quatre murs? Belle unité de lieu pour ton drame! Une agonie lente? Belle unité de temps! Tu écourteras un peu le dernier acte. D'ailleurs... »

D'ailleurs, c'est un fait bien connu. Ces dictionnaires de médecine sont dangereux. On ne devrait jamais les ouvrir.

On y découvre à chaque page une demi-douzaine de maladies qui semblent vous convenir. On y trouve tout ce qu'on veut, sauf ce qu'on a. Je ne suis pas médecin et les médecins eux-mêmes... Et puis quoi! Après ma blessure, pendant des mois, j'étais beaucoup plus amochée qu'aujourd'hui. Pourtant je m'en suis tirée.

— Chhhhhut! fait Luc dans le capharnaüm. Stance dort.

Il aurait mieux fait de le taire, son chut! J'étais au bord du fredon : *T'en fais pas, la Marie.* Maintenant je songe à ce petit, qui tient si peu, trop peu de place. Dans le silence on entend le bruit de ses dents qui grignotent une biscotte. Puis une mince réclamation : « Encore une. » Je n'éviterai pas un retour offensif de mes regrets. Non, je ne le verrai pas tel que je le souhaite. Un enfant, c'est une tâche trop longue pour moi. Et, dès l'instant, trop lourde.

Trop lourde. Enfin, assez lourde. Mais non pas insoutenable. De toute façon, il ne peut être question de me défaire de Claude! On n'abandonne pas ce qu'on a entrepris. Je me débrouillerai bien. Pas question d'ailleurs d'abandonner quoi que ce soit. Fichue pour fichue, je n'ai plus à ménager cette carcasse. Qu'elle tienne trois ans, deux ans, même seulement un an! Qu'elle tienne encore un peu! Ça suffira.

*

Dehors il fait très froid. Le vent du nord a balayé le ciel, où la fenêtre se taille six rectangles d'un bleu intense. La neige, demeurée sur les toits, exalte la lumière et la lumière exalte la chaux de la cellule, qui semble encore plus blanche. Un chaland, qui monte vers l'écluse, n'en finit pas de bramer son désespoir rouillé. Non, je ne m'y associerai plus. Me voici engourdie, lointaine, indifférente et comme dissoute dans un air trop vif. Ai-je si facilement atteint cette hauteur glacée d'où l'on se domine? Je ne me résignerai pas. Mais je peux encore

ambitionner une chose : la force des êtres à qui tout a
été retiré, la passion, l'intérêt et jusqu'à l'instinct de
conservation. La force de ceux qui n'ont plus rien à perdre
sauf l'estime d'eux-mêmes et qu'un destin très rare, payé
à très haut prix, maintient pour très peu de temps en
deçà de la mort et au-delà de la vie, sur cette frontière
où rien ne peut plus échapper au guet de leur exigence.

Mais quel est ce pas? On dirait... Oui, c'est bien celui
de ma tante qui gravit l'escalier en butant sur les contre-
marches et marque un temps d'arrêt à chaque palier pour
laisser souffler ses quatre-vingt-huit kilos. Allons! Prenons
appui sur la main gauche, redressons-nous le plus possible. Je lisse mes cheveux, boutonne un bouton oublié
de ma chemise de nuit, tire le drap, étends le bras valide vers le récepteur, le pose devant moi et commence
à composer : R. O. Q...

La porte du vestibule a été ouverte très vite. De l'autre
côté de la cloison se tient un conciliabule éploré, farci
de « Mon Dieu! Mon Dieu! » de « Pas possible! » et de
toutes les interjections créées pour les catastrophes. Puis
le bouton de porcelaine de la serrure bouge un peu, la
porte de communication s'entrouvre avec précaution. Je
lance à pleine voix :

— Allô, Pascal!

L'énorme poitrine de ma tante passe d'abord, toute frissonnante.

— Ma pauvre petite chérie!

Tendant les bras, perdant ses mèches, les genoux aussi
mous que ses jupes, Mathilde se précipite. Puis s'arrête
court et regarde Milandre avec étonnement. C'est que je
suis en train de dire, moi, la grande malade, bien calme
et l'oreille collée à l'écouteur :

— Mais oui, ça va, Pascal! Ça va...

XVII

J'AVAIS craint le pire. Je pensais : « S'ils sentent que je flanche, ils flancheront. » Mais, très vite, ils comprirent que « j'étais encore un peu là! » comme disait Luc.

Sa fidélité, à lui, n'était pas douteuse. Il venait presque tous les midis. Il restait des heures entières, effaré, effacé, le crayon sur l'oreille, le regard mendiant, tendu comme une sébile vers la moindre obole d'attention. Prêt à toutes les corvées pourvu qu'elles lui fussent demandées par moi, il devenait de plus en plus mon coursier, mon démarcheur, et se déclarait lui-même « secrétaire général par intérim de la S. S. M. » avec une satisfaction un peu puérile qui sentait l'amusette. A plusieurs reprises, je dus l'expédier à son travail, en lui assurant que cet autre aspect de son zèle me ferait plaisir.

Catherine, elle, traversait la rue tous les deux ou trois jours pour m'offrir la phrase chantante, tirée de la méthode Coué :

— Alors, Constance, ça va mieux, n'est-ce pas? Ça va mieux?

Puis elle pérorait, à son habitude. Passée sous la tutelle obscure d'un monsieur important qu'elle appelait *le patron* et aux mains duquel l'avait remise Goldstein, elle jouait un rôle assez vague. Un peu déshabillé, semblait-il. Fort mince, en tout cas. Je souriais en l'écoutant, cette figurante, adopter le petit ton sérieux de gens qui croient avoir fait en quinze jours le tour de leur métier et me

cribler de ces mots techniques qu'évitent les véritables
professionnels, mais sur lesquels se jettent les débutants
pour créer autour d'eux un halo verbal. Tout nouveau,
tout beau. Enfin! C'était déjà ça.

Quant à Pascal, il devait m'avoir notée dans son emploi
du temps du vendredi. Ce jour-là, avec une étonnante
régularité, il apparaissait au dernier coup de cinq heures
et s'asseyait pour vingt minutes, pas une de moins, pas
une de plus, à deux mètres du lit de fer, sur une chaise
de paille qu'il allait chercher lui-même dans le capharnaüm (dont il laissait toujours la porte grande ouverte).
Il n'était guère éloquent, passait son temps à rafistoler
des sujets de conversation (j'ai la terrible habitude de les
défoncer en trois répliques). Il donnait l'impression de
venir à contrecœur et de ne pouvoir s'en empêcher. Mais
dans les trois dernières minutes son attitude changeait
et, sous couleur de conseils, il se mettait à quêter des
approbations :

— J'ai envie de créer une section d'éclaireurs. Qu'en
pensez-vous? Quel nom et quelles couleurs choisiriez-
vous? Troupe Coligny, rubans pourpres? Un de mes
paroissiens est fiancé à une jeune fille catholique, qui le
pousse à changer de culte. Qu'en pensez-vous? Je ne sais
plus comment le retenir. Si je voyais les parents?

Transformée en oracle — et n'y connaissant rien — je
tâchais de deviner ses intentions, d'abonder dans son sens.
Il s'en allait, tout guilleret. Quant à moi, gênée, mé-
fiante, je me demandais après son départ s'il continuait
à me considérer comme une sorte de médium ou si,
m'ayant percée à jour, il ne me faisait pas là une très
subtile charité.

Mlle Calien était peut-être aussi rouée. Ses visites, très
irrégulières, n'étaient rien d'autre que son travail. Mais
elle avait des attitudes, des phrases inattendues — ou très
calculées :

— Quelle journée, Constance! Je n'ai vu que des misères lâches. Je viens me ravigoter.

Et elle s'asseyait, largement, sur une chaise. Je l'obser-

vais, perplexe : les rôles semblaient renversés, mais je n'en
étais pas très sûre. Je n'ai jamais aimé que les gens soient
trop souples, qu'ils me fassent trop vite écho. Si j'ai reproché quelque chose à Mathilde, cette châtaigne hérissée, c'est de se laisser confire dans mon premier sourire.
C'est de crier (comme elle le faisait alors) : « S'occuper
des autres dans l'état où tu es, voilà du vice! » et de ne
pas perdre une occasion de satisfaire ce vice. En essayant
tous les matins de faire marcher Claude devant mon lit.
en l'obligeant à faire trois pas, l'index seul posé sur l'em-
bout de la canne, que je lui tendais... je savais bien qu'il
devait tomber, qu'il allait tomber. Cet échec continu ne
me déplaisait pas. Au fond — là comme ailleurs — peut-
être avais-je plus envie d'effort que de succès.

*

Restait Serge, qui n'offrait ni l'un ni l'autre. Il prétendait s'occuper, provisoirement, de voitures d'occasion. Milandre, qui a un certain génie de l'information — tous
les médiocres ont le don pipelet — et qui se fait volontiers
un scapulaire de son honnêteté, avait aussitôt mis les
choses au point :

— Trafic de bons de priorité, voitures ramenées du Maroc, bagnoles américaines commandées par des Américains résidant en France ou qui font à la douane le coup
du cadeau. Tu parles d'occasion! D'ailleurs, tu sais, tant
qu'il sera dans son cabinet que fréquentent tous les combinards du Neuvième, Nouy restera ce qu'il est.

J'en étais persuadée : pour changer de méthode, il faut
souvent changer de décor. J'asticotais Serge. Je lui télé-
phonais à lui tout seul plus souvent qu'à tous les autres
réunis. Il s'exclamait, invariablement :

— Ah! c'est toi, ma vieille! Pas encore claquée? Tu
veux m'économiser une gerbe? Non, non, rien de nouveau. je cherche.

Ce fut Pascal qui trouva. « J'aurais peut-être quelque
chose pour Serge », m'avait-il dit une fois, à la fin d'une
visite. Mais il n'avait pas insisté. Il ne semblait pas très
désireux de traiter ce sujet de vive voix. Une pudeur particulière en face des chiffres, commune aux intellectuels et
aux hommes d'Eglise, lui paralysait la langue. A deux
reprises il y fit allusion. Puis il se décida pour une lettre
que je reçus au premier courrier, un vendredi.

*Ma chère amie, vous me pressez depuis longtemps en
faveur de Nouy. Mais les relations d'un pasteur sont celles
de son ministère; en user, c'est presque en abuser. Le cas
de Serge aiguisait ma prudence.*

*Je pense maintenant — ou plutôt vous me faites penser
— qu'il faut parfois sortir de ses fonctions pour être dans
son rôle. Je pense aussi que je ne rends pas seulement
service à Serge, mais à des tiers. Enfin, au pis aller, malgré
la méfiance que j'éprouve pour l'argent, ce « bacille en
forme de disque », je ne vois pas comment Nouy pourrait faire du tort aux gens en leur apportant le sien.*

*Donc, voici deux propositions. La première est à vrai
dire une simple suggestion, qui aura votre sympathie parce
qu'elle est créatrice. Un fourreur spécialisé dans l'astrakan
me fait remarquer que ses pelleteries, toutes payées en
devises et grevées de forts droits de douane, pourraient
être produites à meilleur compte dans un territoire de
l'Union française. Les Italiens, au temps de l'Autarcie,
avaient créé en Sicile des fermes spéciales où ils élevaient
le mouton de Boukhara avec succès. La même tentative
réussirait certainement dans le Sous, sur les contreforts de
l'Atlas, où l'on trouverait un climat favorable, des terres
à bon marché, une population de bergers. Seule objection :
l'affaire, très rentable, ne le deviendra qu'après la consti-
tution des troupeaux, ce qui peut demander plusieurs
années.*

*Autre projet. Un céramiste, fournisseur des bazars de
plage, spécialisé dans le genre « Souvenir de Trou-les-
Bains » et dont la fabrique marche assez bien pour être*

*agrandie, cherche un associé susceptible de lui apporter
des capitaux. Affaire banale, mais de tout repos.*

Je décrochai aussitôt pour appeler Bellorget.

— Merci, Pascal! Mais dites-moi, que choisit Nouy?

— Je ne lui ai rien demandé. Je préfère que ce soit
vous qui vous en chargiez. Il est même inutile de parler
de moi. Je vais vous donner les adresses des intéressés et
vous vous mettrez directement en rapport avec eux.

— C'est une suprême prudence, Pascal? Vous avez peur
de vous compromettre?

Au bout du fil la voix de Pascal devint aigre :

— Pourquoi me substituer à vous? Mettez cet atout dans
votre jeu. Vous en aurez plus d'autorité.

Je rougis. Etais-je en train de payer une délicatesse par
un soupçon? Ma main gourde lâcha le récepteur, le rat-
trapa par le fil. Fallait-il m'excuser? Pascal épelait déjà :

— Danin et Compagnie, céramistes, rue de la Folie-Ré-
gnault. Je dis Danin, D comme Denise, A comme Arsène...

Le soir, quand Serge fut rentré de son officine, je décrochai de nouveau pour plaider la cause de l'astrakan
français et ne fis guère que citer, pour mémoire, le projet Danin. Nouy me refroidit très vite.

— Très peu pour la houlette! Aucune envie d'aller
rôtir dans le bled. Tu dis?... Oui, bien sûr, la production
na-tio-na-le! Excuse papillon, moi, je m'en fous. Quant à
ton marchand de terre cuite, je ne dis pas... Remarque
que je préférerais l'alimentation. Enfin, on peut voir.

Faisant contre mauvaise fortune bon cœur, j'enchaînai
aussitôt :

— Après tout, créer une céramique de bon goût à bon
marché... ce ne serait pas si bête!

— Oh! fit Serge, pourvu que ça rapporte...

Je raccrochai avec humeur. Serge avait-il moins d'envergure que je ne pensais? Incapable d'en prendre à long
terme, n'aimait-il que les risques brefs, bien rétribués?
Prête à me tirer une mèche sur le front, j'étais déçue. Et

comme toutes mes colères se retournent contre moi, je me
prenais à partie : « Ça t'apprendra, mourante, à faire jou-
jou avec les vivants! Ma parole, tu commençais à y
croire! » Pour me changer les idées, je me plongeai dans
un problème d'échecs : *la reine prend et fait mat en
cinq coups...*

XVIII

Le premier mardi de février, Rénégault, me prenant dans sa voiture, m'avait emmenée chez lui pour me radiographier. Résultat négatif, à l'entendre :

— Rien, je ne vois rien. La vieille cicatrice est normale. Pas de déformation ni de compression.

Pourtant mon épaule, remise en place, ne désenflait pas. Mes mains devenaient de plus en plus gourdes. Pour me rendre compte de la température d'un objet, il fallait le toucher avec la joue, voire avec la langue. Au moment de me ramener, Rénégault s'aperçut qu'un ongle de ma main droite — celui du médius — était attaqué par une sorte de mal blanc, indolore. Il parut soucieux et je me moquai de lui. Le Bouc devenait plus trembleur que Mathilde, s'inquiétait pour des bobos!

Huit jours plus tard, il réclamait la visite d'un consultant. Je commençai par m'y opposer, mais à force de l'entendre, lui et Mathilde, je finis par céder. Le Dr Cralle, que Pascal devait alerter en faveur de Claude, consentit à s'occuper également de moi et toute la clique Banban se rendit chez lui le quatorze février, jour de la Saint-Valentin. Pascal avait pris le rendez-vous. La traction de Rénégault étant en panne, Luc, surmontant ses répugnances, s'était débrouillé en dernière heure pour se faire prêter la voiture de Nouy. Mathilde portait le gosse. Le Bouc et Mlle Calien me surveillaient de près. Quelle mobilisation! Tant de sollicitude ne m'était pas légère.

J'avais beau me dire qu'elle rendait moins voyante l'exercice de la mienne, j'étais honteuse : comme un paon qui accepterait les plumes du geai.

*

Une heure plus tard, pétrie, palpée, examinée sous tous les angles, ayant livré tous les secrets de mes réflexes, j'attendais le verdict en compagnie de Mlle Calien, de ma tante et d'une infirmière, qui annotait des radios au crayon blanc. Les médecins s'étaient retirés pour discuter dans une pièce voisine, attenant au cabinet et servant de vestiaire. Leurs délibérations traînaient en longueur, incertaines, à en juger par les heu! heu! du Bouc qui traversaient la cloison. Couchée sur un petit divan, en chemise, j'étais pressée d'en finir : Claude était resté dans la salle d'attente avec Luc et je n'étais pas trop rassurée sur l'excellence de ce tandem. Enfin la porte s'ouvrit et, d'instinct, Mathilde se mit à larmoyer. Le pronostic ne devait pas être fameux, en effet. Rénégault torturait sa barbe et haussait le cou, comme s'il cherchait à flotter au-dessus de son inquiétude. Quant au Dr Cralle, Hercule au visage poupin contredit par des yeux froids, il prenait un air beaucoup trop indifférent pour enfiler des phrases destinées à préparer le terrain :

— Nous n'avons pas encore assez de symptômes et, pour ceux que nous avons, nous manquons de recul. Pourtant nous pouvons déjà dire, mon confrère et moi, que nous regrettons de n'avoir pu terminer notre examen sur une note très optimiste.

Une main au menton, il se massait le maxillaire inférieur. L'autre main, évasive, godillait dans l'air.

— Depuis un temps assez long, sans doute, la moelle est attaquée.

— Depuis le bombardement! fit Mathilde, nerveuse et froissant son sautoir.

— Peut-être, reprit le Dr Cralle. Le Dr Rénégault le croit. J'en suis moins sûr. Quoi qu'il en soit, la maladie progresse. Votre nièce, qui marchait mal, a beaucoup de peine à se tenir debout. L'une de ses articulations est énorme. Elle se brûle sans le sentir. Ses mains s'ankylosent. fait plus ennuyeux, que nous avons pu contrôler à l'auscultation, le cœur bat un peu vite.

Il évitait soigneusement tout terme technique. Comme il arrive souvent aux familles pour qui le mot cerne la chose et qui lui prêtent une vertu magique, ce fut Mathilde qui le réclama :

— Enfin, docteur, de quoi s'agit-il?

Mais le spécialiste semblait moins craindre de prononcer ce mot que de le prononcer à la légère. Du reste ma présence le gênait.

— Terminologie n'est pas médecine, bougonna-t-il. Vous ne serez pas plus avancée si je vous jette un nom barbare, qui ne vous dira rien. Comme tant d'autres maladies qui restent encore au-dessus des ressources de la science...

— Au-dessus!... s'exclama brusquement Mlle Calien, qui tirait sur ses gants.

Rénégault lui jeta un coup d'œil impérieux. Assistante sociale et médecins sont personnes du même camp. vouës au même genre de travail, aux mêmes méthodes, lentes et discrètes. On soigne la vérité par la vérité, n'est-ce pas? Comme la rage par la rage : par doses progressives. qui créent l'accoutumance. Mathilde ne pouvait supporter que celle-ci :

— Nous craignons que votre nièce ne devienne tout à fait impotente. Maintenant, je voudrais voir l'enfant... Micheline, ajouta-t-il en se tournant vers son aide, allez donc le chercher. Ensuite vous passerez dans la petite pièce avec Mlle Orglaise et vous l'aiderez à se rhabiller.

On se débarrassait de moi, pour les confidences. Il fallut bien m'en aller. Heureusement, quand je fus prête. l'infirmière m'installa dans un fauteuil. puis s'excusa : elle avait du travail ailleurs. Restée seule. je me hissai aussitôt sur mes béquilles. Une épaisse moquette en étouffait le

poum-poum. Etonnée de ne plus entendre de voix dans le
cabinet, j'ouvris doucement : il n'y avait personne. Tout
le monde était passé dans la salle de radio, dont la porte
était restée entrouverte. Je pus tranquillement m'approcher. J'arrivais sans doute un peu tard, pour les conclu-
sions.

— La section de certains tendons améliorerait l'enfant,
disait Cralle. Il faudra l'opérer.

— Il faudrait aussi faire reviser la pension de Constance,
disait Rénégault.

Ce qui sembla rallumer une discussion. J'entendis un
petit clappement de langue, puis ce commentaire du spécialiste :

— En avons-nous le droit? Cela présuppose que nous
ayons tranché la question. Nous savons que Mlle Orglaise,
blessée en 1944, a subi une forte commotion médullaire,
qu'elle est restée partiellement paralysée. Nous savons
aussi qu'elle souffre de nouveaux troubles. Que ceci dé-
pende de cela, il est possible, non certain. La thèse de
Guillain, qui vous inspire, est très discréditée. On ne croit
plus beaucoup à l'origine traumatique de la syringomyélie.

— Qu'est-ce que c'est, la syro... la syrin... comme vous
dites? fit la voix de Mathilde.

Silence. Cralle ne répondait pas. J'eus la curiosité
d'avancer le nez, de jeter un rapide coup d'œil. Rénégault
était effondré, tête basse, la barbe cardant la cravate. Une
lumière violette lui barbouillait le visage, crispé comme
celui d'un prêtre devant une âme damnée. Mathilde soute-
nait sa poitrine à deux mains et Cralle lui jetait un regard
curieux, qui soulevait la paupière et restait filtré par les
cils. Je ne vis pas les autres. Je me rejetai vivement en
arrière, j'allai me réfugier dans le vestiaire. Fichue. Cette
fois, j'étais sûre de mon affaire. Bien fichue. J'avais envie
de crier : « Ma pauvre tante, voyez page 749! C'est une
des façons de mourir les plus moches qui soient. A petit
feu. Et sans être bien sûre — voilà le pire! — de garder sa
tête jusqu'au bout. »

XIX

MAL stationnaire, jusqu'à la prochaine poussée. L'épaule avait un peu désenflé, mais l'articulation s'érodait, craquait au moindre geste. Le mal blanc, devenu panaris, tournait autour de l'ongle et le déformait sans douleur. Quelles curieuses mains que mes mains, pleines de doigts paresseux, de doigts qui se dépliaient avec lenteur comme les tentacules de certaines étoiles de mer! Je pouvais me lever, me déplacer d'une pièce à l'autre. En principe rien ne m'empêchait de sortir. Mais comment tenir assez fermement les traverses de mes béquilles? Comment glisser une crosse sous mon aisselle droite? Comment descendre les escaliers? Cralle et Rénégault avaient recommandé la radiothérapie aussi bien pour Claude que pour moi. A chaque séance, quelle expédition! Mathilde me « descendait », m'installait dans ma petite voiture, remontait chercher le gosse, lui faisait à son tour franchir les trois étages, le casait près de moi et poussait le tout jusqu'à l'hôpital.

« Vous devriez les y laisser, voyons! Ce serait bien plus sage », lui dit une fois la concierge.

Mathilde lui jeta un tel regard que la bonne femme se recroquevilla dans ses jupes. Mlle Calien ne fut pas mieux reçue quand elle vint lui proposer de reprendre Claude pour le mettre ailleurs. Mathilde s'y opposa farouchement.

— Ah, non! Nous sommes assez malheureuses comme ça.

« Nous », évidemment, c'était moi. Mais les sacrifices

de ma tante me devenaient trop lourds. Pour la ménager, je décrétai bientôt que la radio ne me soulageait pas et je refusai de m'y rendre. De son côté, Marthe Alanec put s'arranger pour y conduire son fils elle-même, l'assistante ayant obtenu de son patron, trois fois par semaine, une permission spéciale entre la plonge de midi et l'épluchage du soir.

*

Et les jours se mirent à passer, à passer. Les jours et les semaines. Plus d'événements. Rien d'extérieur dans ma vie de recluse. Janvier, février... L'hiver cédait. Les premières bourrasques de mars dépeignaient les passantes, retournaient leurs parapluies. Je me traînais de ma fenêtre à mon téléphone ou à ma machine à écrire que je maniais mieux qu'un stylo, à condition de taper très lentement. Néanmoins, je me trompais souvent de touche, je frappais à côté ou dans l'intervalle. Si je pouvais encore collationner, je devenais incapable d'éplucher convenablement les légumes. Je me servais de préférence de ma main gauche, moins gourde, dont la sensibilité était moins émoussée et qui lâchait moins facilement les objets. Affreusement inutile, j'étais suppliciée par l'idée que j'avais voulu me créer des charges et que ces charges retombaient sur Mathilde. Parfois, me commandant un mouvement difficile comme celui d'écarter les doigts en éventail, j'essayais frénétiquement de faire passer l'influx nerveux, de lui faire traverser de vive force ce mal insidieux qui, quelque part dans mon dos, taraudait mon « axe gris ». Parfois, j'éclatais de rire : « Appelons un électricien. Et cric et crac, qu'il me fasse une épissure! » Parfois encore je regardais le calendrier-réclame accroché au-dessus de la commode avec une sorte de terreur : comme il se laissait vite effeuiller!

Mais le temps, seul, semblait pressé. Le temps et moi. Claude réussissait à peine à faire ses quatre pas, en ma présence. Nouy, qui s'était finalement associé avec le céramiste Danin, ne l'avait point converti à des goûts moins commerciaux et venait au contraire de décider la production en série d'une bonbonnière « nichon de Vénus ». Catherine... Ah! Catherine! Contre toute attente, elle semblait en bonne voie; il était question d'elle pour un rôle important dans le prochain film des Producteurs réunis. Cela avait été imprimé, en noir sur blanc, dans les « Indiscrétions » d'un grand journal du soir. Mais l'articulet était équivoque et soulignait « la toute spéciale protection de Raymond Nacrelle, notre plus grand consommateur de beauté ». Elle-même parlait beaucoup trop de « Raymond » sur un ton qui pouvait à la rigueur passer pour celui de la cabotine qui se fait valoir en appelant le patron par son prénom. Luc partageait toujours son temps entre la rue Saint-Antoine, où il s'ennuyait, et le capharnaüm, où il nous ennuyait. Quant à Pascal, il était... Comment dire? Changé, non. Peut-être *concentré*. Plein d'un nouveau zèle, en somme. Mais d'un zèle froid, sérieux, que je ne connais pas, qui m'a toujours glacée.

Tous, enfin, ils étaient bien gentils. Désespérément gentils et sucrés, prodigues de oui-oui, d'attentions et de fleurs. Le beau bouquet! Ils savaient, ils croyaient savoir maintenant à quelle cinglée ils avaient affaire. Alors, ils la consolaient. Ils faisaient leurs petits saints, devant moi. Bien sûr, c'était un résultat. En un temps où il était bien porté de se noircir, de se vanter de ses gredineries, ils venaient dans ma cellule faire une petite cure, s'entraîner au contre-respect humain. On ne se force jamais en vain. Mais j'aurais bien voulu qu'ils aillent se forcer ailleurs.

Notons tout de même un succès! Profitant de mes secrètes études (et triomphant, une fois de plus, des répugnances de Mathilde), j'avais réussi à inviter « M. Roch » qui m'infligea, sur-le-champ et dans l'enthousiasme, trois foudroyants échec et mat.

XX

EN l'honneur du premier avril, Bellorget a dans le dos un petit poisson de papier blanc qu'un gamin a dû lui accrocher. Mais je n'ai aucune envie de rire. Les mains en l'air, à mi-hauteur (attitude que, malgré moi, leur donne la maladie), je n'ai pas non plus envie de bénir. Je suis assise dans le fauteuil roulant que m'a récemment procuré Mlle Calien et qui me permet de me déplacer plus facilement dans l'appartement. Assise, mais raide, debout autant que je peux l'être.

— Ça n'a pas traîné! dit Pascal.

Lui, il est effondé. Il ne songe pas à remettre en ordre sa cravate grise qui glisse sous le col et s'étale de biais sur le veston marine (qui s'est substitué depuis deux mois au costume gris clair, trop voyant pour un pasteur). Ses lunettes de fil de fer (qui — excès contraire — ont remplacé ses lunettes d'or) lui creusent la racine du nez, où viennent se replier les rides du grand ennui.

— Je suis sur des épines. Rendez-vous compte! Danin est un de mes paroissiens; il a six enfants; c'est par moi qu'il a connu Serge et il ne doit pas ignorer qu'il s'agit d'un de mes camarades de lycée. De là à penser — lui, sa famille, le conseil presbytéral, le synode — que je suis responsable de ce qui arrive, peut-être complice... Il n'y a qu'un pas.

Ma main gauche descend mollement, comme si elle était

retenue par un parachute invisible. Elle se pose sur le
genou, s'y referme, sans pouvoir s'y crisper.

— Je ne comprends pas! Comment Nouy a-t-il pu l'évin-
cer en si peu de temps?

— Oh! c'est très simple. Danin n'est pas aussi retors que
Serge et il avait confiance. Après augmentation du capital
de la société, grâce à son apport, Nouy s'est trouvé propriétaire de quarante-cinq pour cent des parts. Danin gar-
dait la majorité et la haute main sur l'affaire grâce à ses
parts personnelles et à celles de sa belle-sœur, veuve de
son frère aîné, qui en possédait seulement quelques-unes.
Nouy a fait du charme auprès de la dame, il est entré
fort avant dans ses bonnes grâces, on dit même qu'il lui
aurait promis le mariage. Bref, elle lui a vendu ses parts
et Serge est devenu majoritaire. Comme le mandat de
Danin était renouvelable au début du mois, Serge s'est
fort tranquillement élu gérant à sa place et ne lui a même
pas laissé un poste en sous-ordre. Bien entendu, il a également laissé tomber la veuve.

Sois indignée, Constance! Pourquoi ne l'es-tu qu'à moitié? Comme c'est ennuyeux! Une partie de toi-même crie :
Bien joué! L'autre dit : Pouah! Le coup de la veuve,
voilà ce qui t'offusque. Le silence de Serge aussi : s'il ne
t'a rien dit, c'est qu'il n'a pas trop bonne conscience.
Quant au reste, mon Dieu, ce n'est pas joli, joli, mais les
combats pour le pouvoir ne sont jamais très propres.

— Je vois! Serge a voulu prendre la barre.

Pascal secoue lentement sa tête sage, bien peignée.

— Même pas. Je doute que Nouy ait un tel appétit
d'autorité. Il a des appétits, tout bêtement. Il s'assure des
profits et la possibilité de trafiquer à sa guise. Il a déjà
décidé de copier certains modèles, ce que Danin n'avait
jamais voulu faire. En fait de création, il doit mettre en
circulation un moutardier qui représente une cuvette de
w.-c. Il a pris soin de s'augmenter, mais il restreint son
personnel et parle de lui retirer certains avantages qu'il
n'est pas légalement tenu de lui assurer. Le tout, en

quelques semaines. Voilà qui donne une idée de ce dont
il est capable.

Ceci est sans doute plus grave. *On a des habitudes*,
disait Serge. l'autre jour. Combien de temps lui faudra-t-il
pour les perdre? Tout est là. Mais il n'y a pas de quoi
s'affoler. de quoi prendre un air cafard et s'écrier comme
le fait Pascal :

— Ah! nous avons raté une belle occasion de le laisser
mariner dans son jus!

Pasteur, mon ami, vous ne semblez pas affligé d'un trop
grand acharnement apostolique! *Nous avons raté...* Non,
Pas encore. Merci pour le pluriel, cependant, par quoi
vous daignez m'associer à vos scrupules... Mon fauteuil
roulant prend la direction de la cellule. Pascal se
précipite pour m'aider, me pousse jusqu'à mon téléphone.
Il a compris que je veux appeler Serge, à son bureau,
rue de la Roquette. Mais pourquoi semble-t-il gêné en me
regardant composer le numéro? Ses paupières papillotent
sous les verres de ses lunettes. Il détourne la tête... Ah!
j'y suis! Il observait ce pouce qui fait tourner le disque,
chiffre après chiffre, avec une telle lenteur qu'on se demande à chaque coup, s'il atteindra le butoir.

— Allô! Voulez-vous me donner le directeur?... Allô, le
directeur?

Il y a des jours où l'appel classique sonne comme une
fanfare, comme une joyeuse interjection proche du hello!
Oui, c'est vrai, cela arrive le plus souvent quand je téléphone à Serge. Aujourd'hui c'est un mot terne, qui n'ose
pas sortir et qui se recroqueville dans ma bouche comme
le lapin dans son trou.

— C'est toi, Serge?

— C'est toi, Constance?

Beau début, en vérité! Donnons — à regret — un écouteur à Pascal. puisque nous sommes solidaires. C'est un
geste qui me laisse un petit répit, pour m'organiser. Mais
Nouy, appelé par son nouveau titre. a déjà dû comprendre. Il prend les devants. La phrase même qu'a prononcée Pascal, avec désolation, voilà qu'il la claironne :

— Hein! ma vieille, tu as vu, ça n'a pas traîné! Tu l'as, ton capitaine.

Et là-bas, dans son bureau, en présence d'une dactylo dont la machine produit un bruit de fond, il a le toupet de chanter les premières mesures de la rengaine :

— *Je suis le maître à bord...*

La dernière note s'éraille. Un raclement de gorge assure la transition.

— Sérieusement, je me demandais comment tu allais prendre ça.

— Mal!

Silence sur la ligne. On n'entend plus que ce faible cliquetis de machine à écrire, scandé toutes les trois secondes par le choc sourd d'un chariot sur son tabulateur. Je m'y connais là-dedans! Réflexion faite, ce n'est pas une dactylo, c'est une facturière. Un, deux, trois, quatre, cinq... Au moins dix mille francs. Pas de centimes... En réalité, je cherche l'inspiration. Que dire? Ce Nouy a la même peau que moi. Mais l'envers de cette peau ne doit pas avoir la même couleur. Il est d'une autre race. Entre lui et moi, comme entre les noirs et les blancs, il y a un Sahara. Rassemblons une petite caravane de mots.

— Ecoute, Serge...

— Je suis tout ouïes!

— Moche, mon vieux, moche! Pas le résultat. La façon...

Voilà. le laïus ronronne, va son misérable petit bonhomme de chemin. Non, vraiment je n'ai rien d'un juge; je ne me sens aucun droit précis pour m'avancer, toque en tête et bavette au cou. Il y a même quelque chose en moi qui n'est pas d'accord, qui croit que les ours sont faits pour être des ours et les Nouy des Nouy. Ma voix seule me donne satisfaction : c'est tout ce que j'ai conservé de souple. Pourtant elle m'abandonne en pleine péroraison. J'ose bégayer :

— Je... Je voyais plus grand pour toi!

Nouveau silence. Nul bruit de fond. cette fois-ci. La facturière se poudre, à moins qu'elle se soit cassé un ongle sur une touche et soit en train de le revernir. Je regarde le mien, celui de l'index droit, qui ne ressemble plus a rien.

— Ecoute, Constance...

— Je suis tout ouïes!

— D'abord, tu t'occupes beaucoup trop de ce qui ne te regarde pas. Ensuite...

Nouy se fâche progressivement.

— Grand, grand... Mademoiselle voit grand! Pour les copains, bien entendu. Ensuite je vais te dire, tu te fous dedans! Tu ne vois pas grand, ma souris, tu vois sublime. Et sublime pour moi, c'est corniaud... Allô! Ne te fâche pas, je te dis ce que je pense... Allô! Quoi?

Rien. Je ne réponds rien. Je rends à Nouy la monnaie de sa pièce. Je chante :

— *Va, petit mousse...*

*

Nous voici de nouveau dans la salle commune. Pascal parle tout seul et, sans doute parce que mon crédit est momentanément en baisse, il fait de l'apologétique... J'apprends qu'il n'est pas bon de fournir des moyens à un monsieur qui n'a pas de but; du moins à un monsieur qui n'a pour but que soi-même ou — malheureux Nouy! — ce qu'il estime tel. Autre leçon à tirer de l'affaire : il ne faut pas s'attacher à des gens, mais à des causes; il faut aider tout le monde, mais personne en particulier. On risque d'avoir moins de déceptions. Dans le tas il y en a toujours qui se tiennent. Et puis — air connu — les hommes sont faillibles, les causes ne le sont pas... Je bâille. Je suis furieuse. Le plus terrible, c'est que je ne sais pas très bien contre qui je suis furieuse. Mathilde, qui promenait Claude, vient de remonter et le petit s'est aussitôt affalé sur la chaise basse qui lui est réservée. Il a le menton un peu moins rentré dans la poitrine, mais les yeux aussi fades, les jambes aussi molles. Un minus bancroche, voilà sans doute ce qu'il sera plus tard. Problème inverse, mon bon Pascal! A quoi bon fournir un but à ceux qui n'ont pas de moyens?

— Vous avez l'air gai, tous les deux! dit Mathilde, qui s'avance vers le tabouret de travail, son rond de caoutchouc passé en travers du bras.

— Nous avons de petits ennuis, répond faiblement Pascal, et comme Mathilde inspecte aussitôt mon visage, il ajoute prudemment : Nouy nous donne de grosses déceptions.

Mathilde hausse l'épaule gauche et s'installe, commence à taper avec cette agilité qui étonne de la part des gros boudins qui lui servent de doigts. Ce n'est pas très poli. Pourtant, de sa part, il faut y voir une sorte d'hommage. Cela veut dire : « Vous êtes un intime, comme Luc. Je n'ai plus à me gêner devant vous. » Mathilde, qui est assez friande de respectabilité, a un faible pour le si respectable Pascal. Pas moi. Serge était mon client préféré. Je sais! Il est... ce qu'il est. Pascal a cent fois raison — cent fois trop — de le maltraiter. Mais qu'il se mette en colère! Qu'il crie! Qu'il n'emploie pas cette voix calme et posée pour dire :

— Je regrette le mot. Pourtant, il faut bien le prononcer : Serge est un salaud.

Un salaud, oui. Un *franc* salaud. Tant pis! Je ne peux pas lui en vouloir. J'en voudrais plus aisément à ceux qui essaient de creuser un fossé entre lui et moi. Je suis une fille injuste. Voilà dix ans que je suis injuste avec ce pauvre bougre de Luc qui a le ridicule béguin de mes restes et fait preuve d'une fidélité trop touchante, trop couchante. Voilà dix ans que je bouscule Mathilde, molle statue de l'abnégation. Ce n'est pas de ma faute si je préfère ce qui résiste sous la dent à ce qui fond sur la langue! Nouy et moi, nous ne sommes peut-être pas de la même race, mais en face de ces petits caractères, de ces végétariens, nous sommes tous deux des omnivores. Comme je ne dis rien, Pascal se méprend.

— Ne soyez pas trop accablée. Vous n'avez péché que par naïveté. A l'avenir, vous serez plus prudente. Et sachez donc enfin...

Le singulier, cette fois, le sépare de moi. Mais, ce qui

t'éloigne plus encore, c'est le goût de sirop de sa salive.
« *Sachez donc enfin* ce que vous voulez, d'où vient la force
qui vous mène. » Sous-entendu : elle est de même nature
que la nôtre, voyons! Chez ceux qui n'ont pas la lumière,
Dieu se reconnaît à ses reflets... Ah! la scolastique! L'éter-
nelle annexion! Tu me rases, prédicant! Pourtant il faut
subir ceci, puisque ceci est pour toi une occasion d'être
dans ton rôle. Il me suffit d'établir une ventilation suffi-
sante entre l'oreille droite et l'oreille gauche et d'écouter
sans rien entendre, sans cesser d'afficher cet air convaincu
qui est celui des sermonnés du dimanche (qui pensent :
« Il ne parle pas mal... A propos, en partant, ai-je bien
fermé le compteur à gaz? »).

J'écoute donc. Je regarde Claude et m'inquiète. Le docteur Cralle veut l'opérer la semaine prochaine. Ça ne
m'emballe pas... Tiens, Claude relève la tête. Un bon
point! Car relever la tête constitue pour lui un effort.
Mieux! Voici que cette bonne grosse tête pas fine et cou-
verte de filasse devient agréable à voir. Claude sourit. Il
me sourit. Si c'est tout ce qu'il sait faire, cet enfant, il
le fait bien. Le sourire rend son visage intéressant, ses
yeux mornes y prennent de l'éclat. Le pauvre chéri! Mais
qu'est-ce qui me prend? Voici la première fois que je
fais de la sensiblerie. Et qu'est-ce qui lui prend, à lui? Il
s'est soulevé tout seul, sans en avoir été prié pendant une
heure. Sa tête jaune se balance avec une grâce d'oison. Il
fait trois pas, il chavire, il vient s'abattre entre mes
genoux.

— Tout seul, hein! Tout seul, Stance! murmure-t-il,
faraud.

Petit bougre! Voyez-moi cette Constance qui avance une
main de cire, qui essaie de lui fourrager dans les cheveux.
Et qui serre les lèvres. Et qui plisse les yeux. Qui lutte
contre le grelottement de son menton. Qui répète d'une
voix rauque : « Mon pauvre chéri! » Qui — c'est un
comble! — éclate soudain en sanglots ridicules. Pascal
toussaille, enlève ses lunettes, les essuie avec sa cravate.
continue à ne rien comprendre et conclut :

— Vous prenez tout cela beaucoup trop à cœur, ma chère amie!

Ma tante est déjà près de moi, pressante, enveloppante, prodigue de mèches et de mots. Mais non, mais non, elle n'est pas malheureuse, votre nièce, qui secoue ses larmes, qui embrasse du Claude et du Mathilde, tout ce qui se trouve à la portée de sa bouche, au hasard. Un peu vexée, certes, de se donner en spectacle et de faire de l'émotion devant M. le Pasteur. Mais toute guillerette au fond et surtout réchauffée. En train de penser : « Qui l'eût cru? La bonne journée! » Elle dont la peau ne sent plus la chaleur, voilà qu'elle en découvre une autre, figurez-vous. On fait de ces découvertes que tout le monde a faites avant vous. Vous, par exemple, tantine, qui haussez toujours l'épaule gauche : celle qui est la plus proche du cœur. Ou Luc, ce roudoudou de Luc qui avait rêvé de certaines choses et en portera toute la vie le petit deuil sur son visage constellé de points noirs. Ou même Catherine, qui chante si facilement la romance... Oui, c'est une bonne journée. Comment vous dire? Mon bel orgueil blanc, mon ange gardien, je le logeais à l'étroit dans ma tête et voilà qu'il s'est évadé, l'animal! pour s'installer plus au large dans ma poitrine. Çe me gonfle. D'où ces petits hoquets...

— Allons, allons! fait Mathilde.

Oui, il est temps de nous rasséréner. M. le Pasteur, cet homme grave, est dans ses petits souliers.

— Qu'allons-nous faire? gémit-il.

Je me retrouve.. C'est lui qui est atteint. Pas moi.

— Mais rien! Nouy souffre de ce que mon père appelait le « mal des crochus ». Il a des habitudes malhonnêtes comme on a des rhumatismes déformants. Il a sans doute besoin d'un dernier bain de boue.

Pascal lève les yeux au ciel. Sa voix devient sévère.

— Vous prenez vite votre parti de tout, dit-il.

XXI

QUASIMODO, fête des invalides, nabots et contrefaits (selon mon calendrier personnel). Deuxième incident.

Celui-là s'annonçait depuis quelques semaines; mais, sans nier l'évidence, mieux vaut douter jusqu'au bout. Le doute a sauvé bien des faiblesses en leur permettant de se reprendre à temps; il a évité bien des méprises à ceux qui n'aiment pas mépriser les autres dont ils se savent les répliques. A mon avis, c'est même le seul cas où le doute soit utile à quelque chose.

Maintenant, impossible d'ignorer. Le service que j'ai rendu à Catherine lui a causé du tort. Il serait plus juste de dire : en exploitant mal le petit service que je lui ai rendu, Catherine s'est causé un grand tort. Mais en matière de responsabilité, je n'admets pas le *distinguo*. Encore moins le désaveu. J'exagérerais plutôt : grain de sable, j'eusse revendiqué l'honneur d'avoir tué Cromwell.

Bien entendu, c'est Milandre qui est venu ce dimanche matin me ululer la nouvelle. Bon zigue et méchant échotier, comme d'habitude. Il remue le nez en parlant; il secoue la tête, ce hibou, comme s'il déchirait des entrailles de taupe.

— Ah! la Cathie! Tu parles d'une enfant de Marie! De Marie l'Egyptienne, oui... qui se donnait au batelier pour faire son chemin. Je parie...

— Je parie que tu n'as pas l'ombre d'une preuve.

Milandre ricane, puis moralise.

— Ce n'est pas une catastrophe. Elle en a vu d'autres. Mais tu ne fais pas assez attention tout de même! On te l'avait dit. On ne pousse pas n'importe qui n'importe où!

Prose qui sent le Pascal! Par quel détour compliqué est-elle parvenue dans la bouche de Luc? Est-ce pour son compte qu'il fait hou-hou? Mais Luc s'explique déjà :

— J'ai vu Bellorget tout à l'heure. Je blague, je blague... Au fond, ça m'embête. Je me demandais s'il fallait te prévenir. Pascal hésitait, lui aussi. Enfin, il m'a dit que c'était préférable, pour éviter des gaffes. Les parents ne savent rien et comme vous êtes voisins...

— J'ai même téléphoné ce matin. Mme Rumas m'a dit que sa fille partait pour les Baléares, où vont être tournés les extérieurs du nouveau film dont elle sera, paraît-il, la vedette.

Milandre ne répond pas tout de suite. Il regarde mon affreux médius. Mieux vaut glisser ma main droite sous ma main gauche. Mais le regard de Luc remonte vers mon énorme épaule, en fait le tour, papillote et s'écarte. C'est ennuyeux : la vue de mes bobos commence à gêner les gens. Luc continue, sans plaisir :

— Elle est partie en effet, à midi, pour Minorque.

Il tourne légèrement la tête à gauche et semble confier au mur :

— Avec Raymond Nacrelle, le metteur en scène.

Puis son menton s'écroule et c'est à l'intention du parquet qu'il précise.

— Seuls.

Une seconde passe. J'esquisse un geste qui semble indifférent, parce que la maladie démultiplie tous mes mouvements et leur impose cette langoureuse allure du poisson qui se meut dans un bocal. Luc déballe ses confidences, très vite :

— Tu comprends, je suis aux premières loges pour savoir de quoi il retourne. J'étais à la gare, avec tous les amis de Cath. Comme sa mère était là, ça faisait départ d'étoile, ça donnait le change à la famille. Au dernier moment, j'ai vu arriver Nouy. Un Nouy comme je n'ai jamais vu Nouy, tout mou, tout poli, ne lâchant pas un mot d'argot. Furax, quoi! Je connais Serge. Il est comme ça quand il est en rogne. Je te parie qu'il en tient pour Catherine et qu'il pensait : « Faut-il que je sois pomme « pour l'avoir fourrée dans les pattes de Nacrelle! » Quant à la Cathie, elle était épanouie, vraiment belle-belle-belle et zozotant des choses à son type qui souriait froid. Pratique, la gosse. Mais amoureuse aussi, je crois. Carrière et béguin, l'un pousse l'autre. Malheureusement elle ne le connaît pas, son Nacrelle. Des voyages comme ça, il en fait deux ou trois par an.

— Elle a pas mal... voyagé, elle aussi.

— Tu dis ça sur un ton! Je parierais que ça ne te fait ni chaud ni froid.

Il aurait tort, mais j'admets des consolations. Des consolations ironiques. La vocation dame de cœur de Catherine continue, en dehors du conjungo : *Grantamour* sur le modèle Sand-Sandeau, Sand-Chopin, Sand-Musset! Réussite sentimentale dans le genre fractionné!

Luc, qui n'aime pas mes silences, tente une diversion :

— Claude n'est pas là?

Détestable, la diversion! Claude, en cet instant, est mon pire souci. Catherine retombera toujours sur ses pattes. Mais lui?

— Il est à Trousseau. Cralle a tenté l'intervention. Je ne voulais pas. Mais ils m'ont tous dit que je n'avais pas le droit de lui refuser cette chance. D'ailleurs, je ne suis pas sa mère.

Je m'entends répéter, avec regret : « Je ne suis pas sa mère. » Devant moi, sur la table, une tulipe perroquet s'épanouit dans un pot que Mathilde avec son goût désastreux a enveloppé de papier d'argent. Il vient, ce papier d'argent, de la plaque de chocolat dont Claude mange un bâton tous les soirs, à son goûter. Mais mon regard glisse vers la fenêtre, traverse la rue, aperçoit le haut des croisées de la famille Rumas. Et je pense : « On est en train de me les abîmer un peu plus, tous les deux. »

XXII

DE mieux en mieux. Troisième échec. L'opération n'avait
pas réussi; les opérations, plutôt, car le docteur Cralle
s'y était repris à trois fois pour essayer de « corriger »
les pauvres jambes de Claude par les moyens de la chirur-
gie. Il prétendait, ce charcutier, qu'il aurait fallu l'opérer
plus tôt. En tout cas, depuis près de deux mois que le
petit était à l'hôpital, on ne pouvait constater aucune amé-
lioration. En désespoir de cause et peut-être bien pour se
débarrasser de lui, Cralle venait de l'expédier dans un
autre service où l'on appliquait de nouvelles méthodes.
Je restais sceptique. Ce qui manquait à cet enfant-là,
c'était la volonté dans sa manifestation la plus simple :
celle de guérir. Il n'éprouvait aucune jalousie envers les
autres enfants qui abusent joyeusement de leurs jambes;
il n'avait pas envie de marcher.

Moi, j'en avais une envie rouge! Mais je n'étais pas
mieux lotie. De plus en plus je me transformais en soli-
veau. Depuis cinquante-huit jours... (car je les comptais,
les jours : comment un enfant qui tenait si peu de place
pouvait-il laisser un si grand vide?)... depuis cinquante-
huit jours, je n'avais pu rendre visite à Claude qu'une
seule fois et dans de telles conditions que je me refusais à
les imposer de nouveau à Mathilde. Après une accalmie, je
subissais une nouvelle poussée de ce mal dont les médecins
n'osaient (ou ne pouvaient) prononcer le nom et qui leur

fournissait une si belle occasion de savamment discuter à mon chevet :

— L'évolution est plus rapide que... disait Rénégault. les cinq doigts fichés dans une barbe pensive.

— Vous voyez par là que votre hypothèse... répondait Cralle, employant lui aussi ces demi-phrases qui n'ont de sens que pour les initiés.

Je savais très bien que ce débat était léger : ainsi deux juges, d'accord sur le fond, se séparent sur la rédaction des attendus. Piqûres, médicaments, rayons : arsenal inutile! Simple baroud d'honneur contre la maladie. Après l'épaule, mon coude s'était mis à enfler, tandis que s'éternisait le panaris indolore qui me rongeait le médius. Mon bras droit, ainsi attaqué en trois endroits et de surcroît ankylosé par l'atrophie, ne me rendait plus aucun service. Je n'usais guère que du bras gauche, lui-même assez touché, maigre comme un bras de fillette. Des crises de palpitations, au surplus, m'accablaient de temps à autre.

Le pire restait le sentiment croissant d'une inutilité elle aussi croissante. Quelle dérision que cette fin, où m'était imposé ce que j'ai toujours méprisé le plus : l'inaction! On peut accepter la mort lente : celle du savant que consume la radiodermite, celle du médecin des lépreux que finit par dévorer le bacille de Hansen. Qui choisit son destin choisit souvent son martyre. Au moins, il ne le subit pas. Mais ça! Ça! Pascal avait beau dire, de sa voix calme, que « Baudelaire a traîné des années dans l'aphasie, Nietzsche dans la folie; qu'il y a de la grandeur à se dépouiller de la seule chose qui vous soit précieuse; que c'est l'occasion du plus grand courage »... A ses souhaits! Je les trouve plaisants, ces apôtres bien portants qui rendent grâces à la Providence des supplices d'autrui.

Ces semaines qui passaient, qui passaient! Ces mois! Tout s'effritait. Tout me claquait dans la main. Plus de nouvelles de Serge. Plus de nouvelles de Cath. Claude qui ne marchait pas. Berthe Alanec qui, insatisfaite d'avoir fait un bâtard, courait les rues en compagnie d'un commis épicier. Milandre semblable à Milandre. S.O.S. pour la

S. S. M.! La belle fondatrice, qui ruminait dans son troisième mansardé, qui bientôt allait en être réduite à demander à tata Mathilde de lui enfourner sa purée et de
l'emmener faire pipi!

*

Et ce n'était pas fini. Brusquement les visites de Pascal
cessèrent. Je pensai d'abord que son ministère l'obligeait à
me négliger. A quoi bon l'importuner? J'attendis. Mais, au
bout d'une quinzaine, je pris le parti de téléphoner.
« M. le pasteur Bellorget est absent ». répondit une voix
d'homme inconnu, sans doute celle d'un remplaçant qui
éluda toute précision. Milandre, expédié rue des Pyrénées, revint bredouille. « Mon confrère est dans sa
famille », lui affirma le remplaçant, qui, ne connaissant
pas Luc, n'avait aucune raison de lui en dire davantage.
Mais avec un peu d'imagination et en se laissant impres-
sionner par la prétendue loi des séries noires. on pouvait
prendre cette discrétion pour un black-out. Quelle que
fût la raison de son absence, Pascal pouvait écrire.

Ainsi il ne me restait personne, sauf Luc. Je me retrouvais au même point que le jour du saut en Marne : seule.
Et bien plus démunie. Condamnée en surplus. Condamnée
en même temps que cet orgueil de petite fille malade qui
voulait à tout prix trouver une excuse de vivre. Quand
Luc revint de la rue de Charonne. je ne dis rien. Mais je
devais faire une tête si piteuse qu'il s'affola. Cherchant à
tout prix une consolation, un cordial. il faillit rompre le
pacte de silence tacitement conclu depuis des années.

— Je suis toujours là, moi, ma Constance.

Accent circonflexe sur *ma!* Je l'aurais tué! Vite effrayé,
il rougit, s'enferra. bafouilla :

— Et je serai là... je serai là...

— ... Jusqu'au bout, hein? Jusqu'au bout! lui criai-je
d'une voix stridente.

*

Le soir, Mathilde, en sortant de la cuisine, me trouva inerte, affalée sur la table parmi mes cheveux et une douzaine de carottes que je m'étais efforcée de gratter de la main gauche. Mes lèvres étaient blanches, paraît-il, mes mains glacées, la peau de mon visage couleur de papier, mon front humide. « Syncope! » fit seulement Rénégault, mandé d'urgence et dont Mathilde m'assura par la suite qu'il ne lui avait pas semblé étonné.

Mon réveil fut extraordinaire. Je revins à moi en éprouvant une sensation délicieuse, imprécise, inexplicable. J'étais comme portée, emmenée je ne sais où, sur les ailes de cent mille oiseaux chanteurs. Je me sentais bien. Je ne me préoccupais de rien. Je pensais : « Je suis lasse et si c'est ainsi qu'on meurt, j'ai grande envie de mourir longtemps. » Puis j'eus l'impression que je redescendais, légère et ne pesant encore que le poids de mes yeux, ces bulles bleues. Enfin je réintégrai mon « gisant », que je trouvai chaud, encore très habitable. J'aperçus cette énorme Mathilde que son inquiétude même semblait engraisser, ce bon vieux bouc qui jouait avec une seringue vide en mastiquant âprement sa langue et qui répétait toutes les dix secondes :

— Alors, finie ton excursion au paradis?

— Comme c'est agréable! fis-je doucement.

Le tic du bouc s'accentua. Un je ne sais quoi, une fugitive expression d'effroi rapprochant les gros sourcils gris m'apprit que ma béatitude même était un détestable signe clinique. Mais elle ne voulait pas me quitter. Elle me fit crier, soudain, avec une joyeuse brutalité :

— C'est du combien au jus, docteur? Dites voir dans combien de temps elle va clapoter, la petite Orglaise?

— Oh! fit Mathilde, tragique et se comprimant le sein gauche à deux mains.

Rénégault — qui avait sursauté — opta pour le badinage.

— J'espère, dit-il, que ce sera le plus tôt possible. Tu me débarrasserais bien. Tout le monde agonise dans cette maison. Votre propriétaire a le torticolis et le père Roquault s'est offert une superbe jaunisse pour évacuer le trop-plein de sa bile.

— Le père Roquault... le voisin! Mais il est tout seul. Il faut s'occuper de lui. Il faut...

D'un seul coup je m'étais mise sur mon séant. Rénégault étendit vers moi une main ferme qui me repoussa sur l'oreiller.

— Incorrigible, celle-là, dit-il.

XXIII

LE lendemain, dès que Mathilde fut descendue faire son marché — après m'avoir bien recommandé de ne pas bouger — je filai chez le père Roquault qui avait refusé son transfert à l'hôpital. Sa porte était entrouverte, sans doute pour permettre à une infirmière de venir le soigner de temps en temps. Je n'eus qu'à pousser les roues de mon fauteuil dans le battant qui s'effaça devant moi.

— Qu'est-ce que c'est que cette invasion? hurla le vieillard. J'ai une souillon qui vient m'injecter de l'eau bouillie par en bas et du bouillon de légumes par en haut. Je n'ai pas besoin de toi. D'ailleurs tu es plus malade que moi. Je t'enterrerai! Sache que je suis vieux, méchant, avare, indiscret, horrible à voir... mais increvable. Je l'ai dit au directeur de l'école en lui tirant ma révérence : « Vous m'avez exploité pendant mes trente-cinq ans d'activité. A mon tour de vous exploiter pendant trente-cinq ans de retraite. »

Ce disant, il touillait énergiquement une bouillie blanchâtre dans un verre à dents.

— Cet âne de toubib me prescrit une cuillerée à café de sulfate de soude, chaque matin. Avec une cuillerée à soupe, je serai plus vite débarrassé.

Assis dans son lit, il était affreux à voir. Jaune, sa peau. Plus jaunes encore, ses yeux et ses ongles. Jaune enfin, mais tirant sur le vert, le contenu du pistolet, posé sur le marbre de la table de nuit à côté d'une assiette contenant un reste de purée. La chemise sale bâillait sur une poitrine étroite, ridée, parsemée de poils blancs et de verrues séniles. Le vieux se grattait sans arrêt et c'est ainsi que je m'aperçus (j'avais joué avec lui aux échecs sans le voir) qu'il était polydactyle. Il surprit mon regard et aussitôt me plaqua ses deux mains sous le nez, en ricanant :

— Deux de trop! C'était embêtant à l'école. En classe d'arithmétique, tous ces chenapans, pour se moquer de moi, affectaient de compter sur leurs doigts. On n'a pas idée, pour un instituteur, de ne pas suivre le système décimal. Avance plus près.

Il avait besoin de parler. Je le savais bien. J'étais là pour ça, pour lui permettre de se débonder. J'espérais aussi qu'il allait me proposer une partie d'échecs. J'avais pris goût à ce jeu où le roi ne peut rien. tandis que la reine peut tout. Je le vis se pencher pour saisir son échiquier, glissé sous son lit. Mais il ne sortit pas sa boîte de pièces. Il ouvrit le tiroir de la table de nuit et en retira deux paquets de bonbons, dont le mien, qui était encore intact.

— Trop mal fichu aujourd'hui pour me casser la tête, dit-il. Au revers de mon échiquier il y a un damier. Je te propose une partie de dames-bonbons. Ces réglisses feront les noirs; tes horribles fondants seront les blancs. Tout pion pris doit être croqué séance tenante. Quand les bonbons sont mauvais — et ils le sont — ça devient une sorte de qui perd gagne. C'est un jeu moral, comme tu vois. Jadis...

Un flux de postillons, qui eux aussi étaient jaunes et qui n'étaient point parfumés, se dispersaient autour de lui. Il tournait la tête sans arrêt, à droite, à gauche, plissant, déplissant deux fanons de peaux sèches qui lui pendaient bas sous le menton.

— ... Jadis, entre pions, nous jouions avec vingt petits verres : cassis de Dijon contre Marie-Brizard, pour les tendres, calva contre kirsch, pour les durs. A la fin de la partie, le gagnant et le perdant avaient généralement un

peu chaud. J'en ai vu tenir jusqu'à la revanche. Mais de
mémoire d'homme, personne n'est jamais allé jusqu'à la
belle...

Il était ravi, le père Roquault. Très satisfait de sa
verve aigrelette. Il parlait, il s'écoutait parler, en posant
ses bonbons, méticuleusement, au beau milieu de chaque
case. Soudain il s'arrêta, me jeta un coup d'œil soupçonneux.

— Tu ne dis rien!... Tu laisses baver le radoteur?

— Vous êtes tellement drôle, monsieur Roch.

— Je ne sais pas si je suis drôle, mais toi, tu n'es pas
gaie!

— Justement...

Sa langue claqua cinq ou six fois entre ses derniers
chicots. Distraire les gens en leur faisant croire qu'on est
venu se distraire auprès d'eux, voilà le fin du fin. Pour
une fois, le père Roquault n'y sentit pas malice. Au
contraire. Il eut une moue débonnaire, presque navrée.

— Ils t'ont lâchée, hein, ma pauvre Frasquette?

C'était exact. Je pouvais faire oui, du bout du menton.

— Et tu te rabats sur le barbon!

Encore exact. Même aveu, orné cette fois d'un sourire.

— Bien flatté tout de même, reprit le père Roquault.
Et tant mieux pour les douze apôtres qui vont te donner
une petite leçon...

Il étalait de nouveau des mains provocantes, dont les
sixièmes doigts n'avaient pas de nom. Puis il se suça
l'annulaire gauche.

— Celui-là, dit-il, c'est Judas. Voilà pourquoi je ne me
suis jamais marié.

*

Nullement compliqué, le père Roquault. Agressif, mais
sans forces. Démuni, mais sans besoins. Jamais joyeux,
mais hilare. Décapant ses regrets à la salive. Inconsolable

de n'avoir pas vécu (ah! je comprenais!) et jubilant de se
survivre très longtemps (là, je ne comprenais plus). Il
continuait à postillonner. Il m'expliquait toute son existence, faite de rien. Ou plutôt — et qui pis est — faite de
riens. Le tout avec le ton sec, l'autorité locale du petit
magister. Cependant ses réglisses attaquaient en force.

— Comment? Tu prends les coins? Ça m'étonne de ta
part. Tu n'es pas fille à te tapir dans les coins. La forma-
tion en carré central, il n'y a que ça de vrai.

Il me prit deux fondants, puis quatre d'un coup, puis
trois encore. Il jouait à la perfection et mastiquait bruyam-
ment.

— Je ne sais pas, fis-je timidement, s'il est très indi-
qué de manger tant de bonbons quand on a la jaunisse.

— Je suis au régime végétarien, rétorqua-t-il. Le sucre
provient de la canne ou de la betterave, qui sont bien
des végétaux. A toi de prendre... Allons, prends! Prends
et mange.

Sa faconde se donna libre cours pendant soixante minutes, ainsi que ses talents de joueur de dames. Tout le sac
de fondants y passa. J'étais écœurée de réglisses. Je commençais aussi à être fatiguée de la causticité facile du
père Roquault dont l'esprit me rappelait, je ne sais pourquoi, ces demi-noix qui ont la forme d'une petite cervelle
et que certains confiseurs déposent à la surface d'uns
écorce d'orange amère. Heureusement, entre deux plaisanteries, il faisait une pause, qu'il agrémentait d'une réflexion sérieuse, généralement en rapport avec celle de
la pause précédente. On eût dit qu'il tenait deux conversa-
tions, servies par tranches.

— J'ai l'œil, tu sais. Je vois, je note tout. Je t'observe,
notamment, depuis pas mal de temps... Tu m'amuses. Je
me suis toujours amusé à voir vivre les gens. Jadis...

Ici, nouvelle digression, qui se voulait plaisante. L'his-
toriette contée, il reprenait :

— Toi aussi, au début, tu t'amusais. Puis quatre ou
cinq idiots t'ont prise au sérieux. Alors, à ton tour, tu

t'es prise au sérieux. C'est ce que tu avais de mieux à faire. d'ailleurs... De mon temps...

Comme nous terminions la troisième partie. Mathilde survint. Elle ne m'avait pas appelée, elle était venue tout droit chez le père Roquault.

— Je pensais bien te trouver ici, dit-elle simplement. Oh! ce que vous êtes jaune, père Roquault!

Le vieux avança la main, posa six doigts sur ma grosse épaule.

— Votre nièce vous dira ce que ça me permet d'être naturel, pour rire! répondit-il, sibyllin.

XXIV

T'en fais pas, la Marie... Je fredonnais en faisant une page
d'écriture, de la main gauche. Elle était déjà bien malha-
bile, cette main gauche, et serait sans doute inutilisable
quand elle saurait remplacer la droite. Mais il n'est pas de
vaine science ni de vains efforts. Des mois de chenille
font une journée de papillon.

T'en fais pas, la Marie... Ma main gauche était un
petit enfant, à qui j'apprenais à écrire. Ses bâtons pouvaient aller. Irrégulières, zigzagantes, les lettres laissaient
à désirer, surtout les lettres courbes. Je recommençais
cent fois. A, B, C, D... Pour me donner un peu de courage, je me mis à tracer les noms ou prénoms des amis.
En caractères d'imprimerie. En cursive. En majuscules de
toutes grandeurs que j'enjolivais de pâtés, de fioritures
singulières... et de commentaires. L, U, C. Mon C avait
l'air d'un O. Luc, prénom lumineux, peu mérité, Serge
disait, avec un mauvais goût digne de lui, qu'il fallait
le lire à l'envers. Et Nouy, précisément! N, O, U, Y...
Cette fois, mon O avait l'air d'un C. Nouy, ça commence
comme non, ça se termine comme oui. Excellent présage!
Quant à P, A, S, C, A, L... Impossible de plaisanter avec
un si beau prénom, suivi d'un patronyme qui évoquait
la moisson. Je réussis mes six lettres, hormis cette S qui
ressemblait à un 8. Agneau Pascal! Agneau de Dieu, où
donc étiez-vous parti bêler vos cantiques?

*

Le pauvre garçon chantait l'office des morts.

Au courrier de midi me parvenait une lettre dont je reconnus aussitôt l'écriture fine, serrée, respectueuse de la ponctuation, des accents et de la marge. Retour ou congé? Je parcourus rapidement ces lignes sages, qui disaient :

Ne m'en veuillez pas de mon silence. Au moment des fêtes, j'ai été très occupé. Je m'apprêtais à aller vous voir quand un télégramme m'est arrivé : ma mère se mourait d'une crise d'urémie. Je suis immédiatement parti pour la Mayenne où, je crois vous l'avoir dit, maman s'était retirée dans une petite propriété de famille. Son agonie a duré dix jours pendant lesquels je ne l'ai pas quittée. Nous l'avons enterrée hier et c'est pourquoi je m'autorise ce soir à vous écrire. Je rentrerai par le train de nuit.

La signature était nette, droite, sans parafe. Une petite croix avait été rajoutée dans la boucle du P. Pour lui profession de foi. Pour moi, le signe plus. Pascal, plus quelque chose qui le rendait valable. Enfin, il y avait en dessous ce post-scriptum, écrit au crayon :

J'avais cette lettre sur moi et je me disposais à la mettre à la poste, lorsque j'ai trébuché dans les escaliers de Montparnasse. Je me suis relevé vingt-cinq marches plus bas avec deux côtes cassées. Je suis à Cochin.

Ainsi donc, il n'y avait pas de silence Pascal, pas de défection. La S. S. M. n'était pas tout à fait morte. Je relus quatre fois la lettre, en m'excitant. « Sois heureuse, ma fille! Sois heureuse. Tu dois être heureuse. Rien n'est fini. Tout recommence. »

Mais oui, mais oui. C'est toujours maintenant que tout commence. Je le savais. Cependant, ma joie restait prudente. Sceptique. Si j'ose dire : pasteurisée. Bref, on n'était pas mécontente. Celui-là me revenait. Celui-là. Qui était le calme Pascal. Qui avait le moins besoin de moi. Ah! si j'avais pu reconnaître sur l'enveloppe ce timbre hâtivement collé de biais, ces terribles jambages incrustés dans le papier! Ou ces fines pattes de mouches, grattouillant quelque vélin parfumé! Cinq lettres de Pascal pour une de Cath! Dix lettres de Pascal pour une de Nouy! Réaction peu flatteuse pour M. le Pasteur, sans doute. Mais pourquoi s'en formaliserait-il? *Luc, XV, 7...* n'est-ce pas! Jetons-lui cette excuse, très vite : c'est à peu près tout ce que j'ai de commun avec le chœur des séraphins.

XXV

RÉFLEXION faite, ces côtes cassées — Pascal me pardonne!
— me fournissent un excellent prétexte. J'ai mitonné pa-
tiemment ma petite affaire.

— Dis, tantine, tu me paies un taxi? Tu viens avec
moi jeudi après-midi voir Pascal, à Cochin? Mais si, mais
si, je peux très bien et tu sais, j'y tiens absolument.

— Tu es folle! m'a répondu Mathilde, scandalisée.

Cette fois, je n'ai pas pu emporter son consentement
d'assaut : trois jours de siège m'ont été nécessaires.

— C'est qu'il faut deux personnes, maintenant, pour
te convoyer! a-t-elle fini par répondre.

Aussitôt je me suis accrochée de la main gauche au
coin de la table, puis au bouton de la porte de communication, enfin au fer du lit : manœuvre habituelle qui me
permet de déplacer mon fauteuil roulant et de parvenir
sans aide auprès de l'appareil.

Il ne s'agissait pas d'appeler Luc. Luc ne sera pas de
la fête. Je veux le punir un peu : il vient de lâcher son
décorateur. D'ailleurs sa présence n'est pas souhaitable :
il est trop facilement jaloux.

C'est sur Nouy que j'avais jeté mon dévolu. Imprudence
définitive ou trait d'audace, l'avenir le dira. Pourquoi
prendre un taxi? Mieux valait appeler Serge, comme si
rien ne s'était passé, comme si je l'avais vu la veille. Et

sans faire la moindre allusion à l'affaire Danin. Pas de
pardon. Mieux : pas de jugement. Mieux encore : pas de
souvenir. Il n'y avait qu'à lui demander de la façon la plus
naturelle du monde un service qu'il ne pouvait guère
refuser. Nouy est de ces types qui se moquent de passer
pour des filous, mais qui ne voudraient jamais passer pour
des mufles... Aux alentours de midi, j'avais des chances
de le trouver chez lui.

Nouy était chez lui en effet. En reconnaissant ma voix,
il a paru un peu interloqué :

— C'est... C'est toi?

— Eh bien! oui, mon vieux. *Tu m'excuseras...* J'ai été
si souffrante depuis quelque temps que je n'ai absolument pas pu te donner signe de vie. Tu sais, je deviens
candidate à l'emploi de femme-tronc. Zéro pour les pattes.
Un bras qui ne va guère, l'autre qui ne va plus. Rien
qu'à voir la binette de mes toubibs, je suis renseignée
sur ce qui m'attend.

Ton léger. Style Serge. Nouvel aspect de la méthode :
« Parlez donc à chacun son sabir. » Pour terminer, dé-
gringolade de la voix dans une sorte de tragique négligent
et canaille :

— Blague à part, me voilà presque au bout du rou-
leau, tout à fait loque. C'est même pour ça que je te téléphone : je cherche un transporteur bénévole, j'ai besoin
aujourd'hui, à titre exceptionnel, d'une bagnole et d'un
chauffeur qui veuille bien faire l'infirmier. Pour me véhiculer, il faut deux personnes : une de chaque côté. Mathilde n'y suffit plus. Comme Milandre ne s'occupe guère
de moi, en ce moment, peux-tu...

— Ah! Milandre te néglige! Qu'a-t-il donc à faire de
plus intelligent, ce corniaud?

Et Serge s'est mis aussitôt à grasseyer des : « D'accord! D'accord! » Il n'a même pas demandé combien de
temps durerait mon équipée et où j'allais l'emmener.

*

Plus carré que jamais. Pas beau. Beau pourtant. Je ne
sais pas. La chose ne devrait avoir aucune importance. J'ai
cru le perdre : voilà sans doute ce qui donne de l'indul-
gence à mes yeux. Je ne crois pas avoir déjà remarqué
cette fraîcheur de la peau de la joue, rasée de très près,
ni cette puissance des tendons du cou. Serge est un jeune
homme, c'est vrai; je ne m'en étais pas avisée. Son complet est trop bleu, sa cravate trop vive, sa chemise trop
chère. Il fait vainement l'important. A chaque tournant
il accompagne son volant des deux bras, des épaules et
du buste, il fait longuement donner la trompe qui beugle
en son nom : « Rangez-vous, ma six-cylindres passe! »
La prunelle au coin de l'œil, le sourire au coin de la
bouche. Très petit garçon avec ça. Déjà sa Buick passe à
toute allure le long du Zoo quand il articule :

— Au fait, où dois-je conduire mademoiselle?

Mathilde, qui écrase le siège avant, près de Nouy,
tourne vers lui un menton inquiet où tremblent de géla-
tineuses bajoues. Une petite voix part de la masse immobile qui occupe toute la banquette arrière et disparaît sous trois couvertures, malgré le printemps agressif
qui navre les canards du lac Daumesnil et fait éclater les
bourgeons visqueux des marronniers.

— L'itinéraire n'est pas marrant. Nous sommes tous en
miettes, mon pauvre vieux. Nous allons d'abord à deux
pas d'ici, à Trousseau, voir Claude. Nous ne nous attar-
derons pas afin d'être à Cochin avant la fin des visites.
Pascal ne nous attend pas. Il va être ravi.

— Hein? fait Nouy, qui enfonce le frein d'un coup
de talon.

Je ne bronche pas, j'évite son regard qui cherche le
mien dans le rétroviseur. La Buick repart, conduite cette

fois à tout petits coups de volant, nerveux, saccadés. « La petite garce! Elle m'a eu », doit-il penser. Mais il ne peut plus reculer sans avoir l'air très moche. Allez donc refuser de voir un copain qui se trouve sur le flanc à l'hosto! Le refuser à une foutue gosse qui prétend s'occuper des bobos d'autrui quand elle-même sent le sapin! Je clappe de la langue et précise :

— Pour Pascal, tu peux m'attendre à la porte, si ça t'embête.

Et de plus en plus suave :

— Toi et lui... Bah! Vous n'allez pas rester fâchés pour quelques... divergences.

De nouveau Nouy cherche mon regard dans le rétroviseur et, cette fois, l'y trouve, l'évite, revient dessus. Un vrai jeu de billes. Mon visage, seul, émerge des couvertures. Nouy sait-il qu'il promène une tête, rien qu'une tête, qui court après ses membres dispersés? Je ne le pense pas. Ce n'est pas la raison pour laquelle saillent les muscles de son menton. Je gage que ma présence et surtout ma discrétion sont en train d'accroître l'obscur malaise qui depuis des semaines doit quelque peu empoisonner son triomphe. Il n'y tiendra pas longtemps. Sa franchise a vite raison de lui. Il murmure, à titre d'essai :

— Pascal a dû avoir des ennuis lorsque j'ai fait sauter Danin.

Et comme je n'ai pas l'air d'entendre, il se fâche. Il se fâche, en quelque sorte, parce que je ne me fâche pas.

— Après tout, c'est d'accord, je vous ai un peu tous bousculés, dans cette affaire-là; j'ai profité sur votre dos d'une occasion toute cuite. Au lieu de me débiter du *pater,* de t'amener avec une éponge, j'aimerais mieux que tu me secoues les puces. J'ai l'air malin!

Je pourrais répondre : « Et nous, donc! Nous avons eu aussi l'air malin! » Mais à quoi bon? Du reste, Nouy freine devant l'entrée de l'hôpital, très doucement, pour m'éviter toute secousse.

Il se précipite à la portière, s'empare de moi qui me tais, qui ne bouge pas, qui fais la dolente. Il n'y a pas dix mois, je faisais encore ma faraude et mes démonstrations soutiraient à ce garçon un laconique hommage : « Chapeau! » Ces temps sont révolus. Ma faiblesse aujourd'hui demeure ma seule force. Exagérons-la plutôt : la pitié pénètre plus profondément que l'admiration, surtout quand elle lui succède et s'enfonce dans son trou. Mon orgueil s'en accommode. Mal, bien sûr! Mais, pour qui n'en a pas d'autres, tout moyen, même le plus bas, pactise avec la fierté.

De cour en cour, de couloir en couloir, me remorquant, me portant à moitié, Mathilde et Serge parviennent à la salle anonyme et ripolinée qui ressemble à mille autres et qui serait banale si elle n'était peuplée de petits ataxiques, de petits paralysés, bref, d'enfants dévorés par des maux de vieillards. Claude est assis sur le bord du lit numéro trois, le menton dans la poitrine, les jambes ballantes. Ses cheveux trop longs lui tombent dans les yeux; il ne songe pas à écarter les mèches entre lesquelles se distinguent mal les prunelles éteintes, réduites à deux taches sans couleur définie. Enfin il nous aperçoit, il lâche une cocotte en papier, crie mollement « Stance! Matil! », referme la main sur son sac de berlingots et retombe vite dans son apathie, dans son silence, qu'il meublera pendant un quart d'heure de grignotements sucrés. Il ne relèvera son museau de souris blanche que deux ou trois fois pour répondre au sourire de statue que je m'impose ou aux mamours de Mathilde qui lui jacasse une foule de petites recommandations. Nouy bâille. Sans doute se demande-t-il ce qu'il fait ici entre ce gosse minable, ce tas de graisse tendre et cette morte en sursis. Je me penche pour lui dire sur le ton de la confidence :

— Il ne marchera jamais... Du moins, n'est-ce ni de sa faute ni de la mienne.

— ... Videmment! grogne Serge avec une négligence mal camouflée.

*

Nous avons regagné lentement la voiture. Nouy fonce déjà sur le boulevard de Reuilly. Le silence doit lui peser (sans doute parce qu'il craint les sujets brûlants que je pourrais lancer sur le tapis). Il parle, il parle pour boucher le trou. Il accable Mathilde de commentaires dont elle se moque éperdument. Cette petite Margaret qui arrive de Rome après avoir vu le pape, hein! Et notre Vincent T-Auriol qui s'en va aujourd'hui bouffer des dattes en Algérie! C'est une journée chargée que ce 29 mai : Bordeaux-Paris, prix Lupin à Longchamp où Serge a mis deux sacs sur Ambiorix, championnat de France des poids légers à Reims... jugez! Et ce n'est pas tout! Il y a encore le championnat de France de tennis... Aïe! Je saute dessus.

— D'ordinaire, Catherine n'en rate jamais un.

— Elle n'a pas voulu y aller! dit Serge en prenant sèchement le sens giratoire de la place Daumesnil.

Dans le virage qui me déporte, mon sursaut passe inaperçu. Catherine est revenue! Pourtant je ne l'ai pas vue de ma fenêtre et nul ne l'a rencontrée. Donc elle se claquemure. C'est clair! l'histoire a mal tourné. On fait du dépit ou du remords. Quant à Nouy, pour connaître ce détail, il faut qu'il s'intéresse de très près à la demi-demoiselle Rumas, qu'il ait conservé des contacts ou maintenu des observateurs. Milandre aurait-il raison? Si oui, nous avons là une manette intéressante. Je tire dessus.

— Et qu'est devenu ce type... tu sais : celui qui a un nom rêvé pour pêcheur de perles?

Nouy passe en trombe sur le double pont de Bercy, oublie de corner en coupant les quais, écrase la pédale pour remonter le boulevard de la Gare. A la hauteur des grilles qui s'ouvrent sur un monde rouillé de rails et de wagons, il se retourne et hurle :

— Nacrelle! Plus question de ce salaud! Il a gobé l'huître et se fout de la coquille.

Une embardée le contraint aussitôt à faire face en avant. Il évite de justesse un cycliste et s'assagit, réduit sa vitesse, se laisse même dépasser par une rame du métro aérien dont le wagon de première classe fait glisser une tache rouge au ras d'un ciel très bleu. C'est lui maintenant qui, renfrogné, pique une tête dans le silence. Place d'Italie, Gobelins, Port-Royal, rue Saint-Jacques : pas un mot. Voici Cochin et, groupés autour du portail, les marchands de bonbons, les voitures chargées d'oranges, les fleuristes d'occasion qui reviennent des bois, qui tendent les premiers bouquets de muguet, un peu verts, et les derniers bouquets de jonquilles, tout ronds, très jaunes, piqués d'une fleur rouge au centre.

Le même cérémonial recommence : je me fais porter debout, comme une statue. Mais quand, après une longue station au guichet des renseignements et un sinueux parcours dans l'habituel dédale hospitalier, Nouy aperçoit à travers la vitre de la salle le profil de Pascal, il se dégonfle brusquement :

— Tout compte fait, je t'attends ici. Bellorget est un bon type, mais il est vraiment trop curé pour moi.

*

Notons cette faiblesse, mais ne protestons pas. Au fond, ça m'arrange. Le choc Bellorget-Nouy ne peut pas donner grand-chose et j'ai envie d'être seule avec Pascal. C'est tout juste si je ne regrette pas la présence de Mathilde.

J'avance avec peine, car je ne suis plus soutenue que d'un côté. Pascal est assis sur son lit et feuillette posément *Les Temps modernes*. Il n'est pas avantagé par la chemise de l'Assistance publique, chiffonnée, marquée à l'encre grasse et bâillant sur le pansement qui gonfle la

poitrine. Mais il s'agit bien du même Pascal, qui n'a pas
d'âge, lui, qui reste impossible à confondre avec un « jeune
homme accidenté ». Sans rien faire pour se singulariser,
il ne se laisse pas absorber par ce décor lisse et blanc
qui rend les gens anonymes comme leurs draps, les dis-
sout dans des populations vagues, malodorantes, plaintives
et ennuyées. N'importe qui, chargé de le retrouver sans
le connaître, irait droit au lit du pasteur que dénoncent
son port de tête et la sobriété de ses gestes.

— Vous, Constance! Et avec votre complicité, mademoiselle Mathilde!

Il y a de tout sur ce visage : de l'étonnement, de la joie,
de la contrariété. De tout, sauf ce quelque chose qui n'a
pas de nom et que je cherche âprement, tandis qu'on
m'installe, faute de mieux, sur un fauteuil hygiénique
garni d'un oreiller.

— Je suis touché, répète Bellorget. Touché à un point!
Mais de la nièce ou de la tante, je me demande qui est
la plus imprudente.

Nous avons une excuse admirable. Je prends la voix
sourde, qui est de circonstance :

— J'ai voulu vous dire tout de suite la part que je
prenais...

— Que nous prenions... corrige Mathilde.

Fin des condoléances. Ça et les congratulations, rien ne
m'horripile davantage! Pour moi les phrases ont une valeur active et je me soumets très mal aux disciplines de la
bienséance. Au surplus la mort de Mme Bellorget, que je
n'ai pas connue, me laisse à peu près indifférente. Pascal
le comprend très vite. Les ailes de son nez s'écartent légèrement : il y passe deux ou trois soupirs, dont le sens n'est
point douteux. Puis il se dégage de la politesse émue, la
plus fausse de toutes, et se met à parler de ses projets.
Malheureusement, il le fait sur le ton soutenu :

— Je vais vendre la maison de ma mère. Dans mon
état, il n'est pas souhaitable d'être retenu par des biens,
surtout par cette sorte de biens qui ont des racines en
terre, qui fixent un homme dans le souvenir et par là

même peuvent arriver à localiser son avenir, à le réduire
dans l'espace. Je vends la maison de ma mère, précisément parce que je sens que j'y tiens, parce qu'il n y a
aucune activité valable pour moi dans la région où elle
se trouve.

La bouche mince et les prunelles glissant derrière les
verres de ses lunettes, Pascal quête mon approbation. Je
ne la marchande pas; je balance une tête d'ange-tronc
de faction au pied de la crèche. Encouragé, il continue,
malgré la présence de Mathilde, témoin surnuméraire.

— Je fais en ce moment une retraite forcée qui m'est
fort utile. Quand on abandonne un instant ses routines,
on les trouve bien ridicules. Je ne voudrais pas me lancer dans l'aventure, mais je ne peux plus me contenter
de mon ronron. Ce que j'ai fait, n'importe qui pouvait
le faire mieux que moi. Je n'ai rien essayé. Je n'ai rien
gagné, si je n'ai rien perdu — et j'en doute! L'*Imitation*
nous assure qu' « on va d'un pas plus ferme à suivre qu'à
« conduire ». Elle dit aussi : « Ce qui vaut pour la bre-
« bis ne vaut pas pour le pasteur... »

Laïus! C'est le laïus qui trouble ma satisfaction. Ou le
ton. Ou l'inquiétude des conquérants qu'absorbe leur
conquête. Voilà qu'il restitue à mon oreille, en tout cas,
ce qu'il a trouvé dans ma bouche! Bien, Pascal. Mais,
malgré Mathilde — qui vous écoute avec un gros respect, — ne pourriez-vous adopter un style moins oratoire,
plus percutant?

— Bref... reprend Bellorget.

Ah! nous y voilà. *Bref*, c'est un mot que j'adore.

— Bref, je vais tenter une expérience. L'autre jour,
je voyais circuler un démarcheur en produits d'entretien.
Il allait de porte en porte, ouvrant et bouclant sa valise,
postillonnant des flots d'éloquence pour placer finalement
une savonnette ou une boîte de cirage. Je me demande si,
au lieu de les attendre, nous ne devrions pas, nous aussi,
aller chercher les gens chez eux, là où ils ne pourraient
pas nous éviter, où ils seraient obligés de nous subir.

Mieux. Beaucoup mieux. L'exorde était inutile. Il suf-

fisait de me dire ça : *Ils seraient obligés de nous subir...*
La phrase m'enchante. Il est ennuyeux que Pascal, courant sur sa lancée, refasse du bla-bla :

— Faire du porte à porte pour le compte de la grande
fabrique de pardon, ne plus me contenter d'un temple
morne comme un magasin qui n'a pas de chalands, devenir le démarcheur de Dieu...

Oui, oui, bien sûr. Qu'il réserve cette salive-là pour
les concierges nantis de balais et les bourgeois en robe
de chambre ouatinée qui le recevront d'un air rogue.
L'Evangile, franc de port, livrable à domicile... Très Ar-
mée du Salut. « De quoi se marrer doucement! » dirait
Serge qui, en ce moment, cède à la curiosité ou à l'im-
patience et colle son nez sur la porte vitrée. Après tout,
pourquoi pas? J'ignore si le jeu en vaut la chandelle.
Au fond le résultat m'importe peu. Qu'il lui soit donné
par surcroît! Ce qui m'intéresse, c'est de voir Pascal abandonner le pas de promenade et mettre coudes au corps
sur la voie qu'il a choisie. Constatons-le, avec un peu de
dépit : il semble l'avoir fait tout seul, à un moment où
nous n'avions pas de contacts.

— Mais c'est Nouy! Que fait-il là? Vous n'êtes tout de
même pas venue avec lui?

La voix de Pascal, qui vient d'apercevoir Serge derrière
la vitre, est brusquement devenue dure, sèche, fort peu
apostolique. Il rougit et son nez, en se plissant à la racine,
fait bouger ses lunettes. Ses mains froissent son drap, devant lui. Je fais un petit signe amical, qui peut s'adresser
à l'un et à l'autre, qui peut vouloir dire : « Du calme »
aussi bien que : « Attends-moi encore une minute! » Puis
je m'explique tranquillement :

— Serge nous a amenées en auto. Il n'a pas osé entrer.
Cela valait peut-être mieux : on ne tire rien des gens
qui font figure d'accusés.

— Mais enfin, s'écrie le pasteur, je ne vous comprends
plus, Constance. Après ce que Nouy nous a fait! Vous
n'allez pas me dire que vous le revoyez, que vous le sou-

tenez. Vous ne pouvez pas à la fois vous intéresser à lui
et à...

Il n'ose achever : « ... à moi ». Mais ses yeux deviennent
durs. Pourtant ils ne m'empêcheront pas de me sentir
très à l'aise. J'ai pour moi la loi et les prophètes, mon
petit pasteur!

— Je ne soutiens pas Nouy. Je le retiens. J'essaie de le
retenir. Sur un autre plan, je fais un peu votre boulot.
Vous me comprenez?

— Non, dit Pascal.

Allons-y d'un morceau de bravoure! Pas moyen de faire
autrement. Rendons-lui sa monnaie.

— Si, mais vous êtes rancunier. Du moins Pascal Bellorget est rancunier. Car, professionnellement, le pasteur
de Charonne ne peut pas l'être, le pasteur de Charonne
est d'accord avec moi. Il aurait peut-être fallu attendre
un peu, je vous l'accorde. Mais je ne peux pas attendre.
Pour ne rien vous cacher, ceci est probablement ma dernière sortie... Si, si, vous le savez bien. Alors j'essaie de
mettre les bouchées doubles, de rattraper quelques bévues...
Ah! je n'ai pas fait de miracles! On ne fait jamais de
miracle. Et j'ai été ridiculement présomptueuse. Mais ce
qu'il y a d'épatant dans ce monde, c'est que rien n'y
est jamais définitif, le succès comme l'échec. Je vous avoue
même que ça m'embêterait de le quitter pour cet autre
monde qu'on dit meilleur et où il n'y aura plus rien à
faire qu'à ouvrir ses quinquets sur des perfections immobiles. Si j'étais ange, je serais jalouse des hommes... Le
mot « mieux » ne les réchauffe pas, eux!

Encore hostile, Pascal m'observe avec attention.

— Il y a un cantique, dit-il, qui exprime un peu cette
idée-là. Mais ce n'est qu'une pieuse boutade.

Son sourire trop mince s'élargit peu à peu. Mais la
canine y reste plantée.

— Et je ne crois pas, dit-il encore, que ces choses
souffrent la plaisanterie.

— Les visites sont terminées, messieurs-dames! proclame
une infirmière qui passe, importante, un galon sur le front

et les mains dans les poches de sa blouse, à l'exception
des pouces dont saignent les ongles carminés.

— Au revoir, murmure Pascal avec une réticente douceur.

*

Troisième transport. Troisième démarrage. La parole
reste à la Buick. « Et maintenant, à la maison! » ai-je
crié, exactement comme l'acteur doit crier : « Et maintenant à la tour de Nesle! » Pauvre allégresse. En fait,
je suis assez perplexe. Je réfléchis, enfouie sous mes couvertures.

— Pas froid? lance Serge, qui est toujours aux petits
soins et qui me surveille, dans le rétroviseur.

Son regard semble dire : « En voilà une qui ne nous
enquiquinera plus très longtemps. » Aujourd'hui, toutefois, il n'y coupera pas.

— Dis donc, Serge...

Ce préambule ne lui dit rien qui vaille. Il accélère,
il corne longuement.

— Tu n'étais pas un peu amoureux de Catherine?

— C'est bien le moment d'en parler!... Tu te fous de
moi?

Mathilde se retourne et fronce les sourcils. Ce que je
peux être gaffeuse, n'est-ce pas!

— Après la connerie qu'elle vient de faire!... reprend
Serge, pesant sur le gros mot.

— Tu aurais préféré qu'elle la fasse avec toi! Je sais.
Elle aussi du reste.

Feu rouge. Stop. Ce répit permet à Serge de se retourner à son tour. Il a l'air furieux. Mais ce que je cherchais tout à l'heure sur le visage de Pascal se trouve sur
le sien. Ai-je raison? Une demi-putain, un demi-escroc,
ça irait bien ensemble. Blanc sale et vilain noir donnent
du bon gris. Histoire très morale. Je n'ignore pas que si
Pascal m'entendait penser il hurlerait : « Vous ne faites

pas de morale, malheureuse! Vous faites de la fantaisie. »
Bien possible. Et zut, au surplus! Je ne suis pas philo-
sophe. Je n'entortille pas les mots.

— Elle a osé te dire ça?

— Non, bien sûr. Mais...

Feu vert. Vert espérance qui n'a pas fini de lui clignoter
dans l'œil. Serge est bien obligé de repartir, de faire face
en avant. Ce qui me délivre. Ouf! je ne trouvais plus de
mots. Faut-il qu'il ait envie de ce mensonge, pour ne pas se
rendre compte à quel point il était mal ficelé! Il l'a avalé
tout rond, alors qu'il me reste en travers de la gorge. Cette
bonne gueule épanouie que je vois dans la glace, je lui
flanquerais des claques avec plaisir. Mais silence, silence!
Ne sortons plus d'autres énormités. Regarde les rues,
Constance. Regarde les passants, les étalages, les arbres,
les voitures. Pour la dernière fois. Avec un déchirant
sentiment d'adieu.

XXVI

— Elle est revenue, ta Cathie-catin!

— Vous êtes sûr?

Le père Roquault, douze doigts en l'air, le cou hissant haut un profil encore jaune, me crachote des confidences. Depuis quelques jours, il se lève, passe des heures auprès de son rideau. De temps en temps, de préférence lorsqu'il vient d'entendre Mathilde dégringoler l'escalier, il tape trois coups dans la cloison, ce qui signifie : « Qu'attends-tu pour venir me voir? » Cette fois, il s'est glissé jusqu'à moi :

— Rien ne m'échappe, tu sais. De mon poste de guet, je l'ai vue passer derrière sa fenêtre, en pyjama bleu. Il s'agit bien d'elle. Sa sœur porte des chemises de nuit et elle n'a pas...

Geste des deux mains, pour soutenir quelque chose à la hauteur des pectoraux.

— Qu'est-ce qu'on fait? ajoute-t-il.

Le père Roquault second secrétaire de la S. S. M., voilà qui est bien drôle! Si j'attendais une aide de ce côté-là! Je feins l'ignorance pour ne pas lui enlever son aigre joie de nouvelliste, pour le maintenir en appétit. Mais il faudra être prudente. Ce damné petit vieux commence à fourrer le nez dans mes affaires exactement comme je fourrais le mien dans celles des autres. Sans en avoir été prié, il se mêle de tout, il s'informe, il commente, il prend

parti. Qu'il me souffle mes pions aux dames, soit! Pas
ailleurs. Car il joue, lui, il s'amuse. Moi, je ne joue plus.
Et il le sait très bien, que je ne joue plus! Il me l'a dit
lui-même. Enfin! Peut-être m'est-il utile à mon insu; peut-
être m'a-t-il été donné, en dernière heure, pour m'inter-
dire la pose, pour me redonner ce goût d'accommoder les
choses sérieuses à la vinaigrette. Mais qu'il est crispant!
Ecoutez-le!

— Il faut la consoler, hein! Quand je l'ai aperçue, *Trou-
lala, cette fille sensible versait des torrents de larmes...*
Officiellement, elle pleure son film. Ma soigneuse, qui est
une amie de la concierge d'en face, m'a raconté que
Mme Rumas se plaint à tout le quartier : « Figurez-
« vous que cet affreux Nacrelle a retiré son rôle à ma
« fille pour le donner à une petite intrigante... » Moins
jobarde que complaisante, la bonne perceptrice! Il est
vrai que dans sa jeunesse elle aurait passablement...

— Ah! cessez d'abîmer tout le monde, père Roquault.
Le vieux ricane, mais cesse de danser autour de mon
fauteuil. *Père Roquault...* Dans ma bouche, maintenant,
c'est une apostrophe. Soudain, il me prend une main, la
gauche, celle qui est encore vivante; il la tapote entre
les siennes, il minaude :

— Bon petit cœur de Frasquette!
Mais comme je retire vivement la main (vivement...
Façon de parler! Ma main n'a guère bougé), il change de
ton, devient presque grave.

— Ne lui téléphone pas, dit-il très vite. Il fait un temps
superbe. Je peux traverser la rue. Ça fera mieux.
J'en ai chaud. J'avais l'intention d'envoyer Luc. Il a
deviné. De quoi se mêle-t-il, décidément? Et ne va-t-il pas
commettre quelque énorme gaffe?

— Surtout, monsieur Roch, ne lui dites pas que...
Le père Roquault m'observe, narquois. Sa pomme
d'Adam monte et descend entre ses fanons. Il retrouve
son horrible voix :

— Pas folle, la guêpe! Je lui dirai que tu es de plus
en plus malade, que sa longue absence te navre... C'est

toi qui as besoin d'elle... C'est elle qui doit avoir pitié
de toi. Comme le père Roquault, pardi! Je connais la
musique.

*

Il va faire mieux, ce vieux furet. Quand il aura — sans
délai et je ne sais comment — obtenu de Catherine qu'elle
monte me voir, il s'éclipsera discrètement.

A vrai dire, cela ne m'arrange pas tellement. Je ne
sais quelle attitude prendre. Pourvu que nous évitions
la confession, la scène éplorée! Je me consulte rapidement : « Pour Nouy, j'ai fait semblant d'avoir oublié.
Pour elle, faisons semblant non pas de ne rien savoir
(cela sonnerait faux), mais de ne rien savoir qui m'offense. Si on vient renifler dans mon giron, haussons doucement les épaules. Si on bat sa coulpe, battons la nôtre
encore plus fort. Si on a le péché agressif — ma chatte,
c'est ce que je préférerais! — je me fais souris pour soulager tes griffes. »

Craintes inutiles. C'est une Catherine en robe blanche
qui m'arrive, une Catherine extraordinairement jeune fille
au corsage pur et aux reins souples.

— Comme je suis contente de vous revoir, Constance!
chante-t-elle avec de petites mines et de ravissants dode-
linements de tête.

Les mots tombent de sa bouche comme des crottes de
pinson.

— Je reviens des Baléares. Quelle déception! Il y faisait un temps affreux. Et je ne vous dis pas tout.

Va-t-elle mettre le bec sous l'aile, tristement? Ce « tout »
ne m'intéresse pas. Aucun détail, s'il vous plaît. Rien de
plus terrible que les détails pour embarrasser les gens. Qui
n'a pas de souvenirs précis n'a jamais été coupable de
rien. Ma main gauche trouve assez de vigueur pour se
soulever, pour les écarter.

— Oui, je sais. On a profité de votre absence pour vous

chiper votre rôle. Ce n'est pas une catastrophe. Serge
dit que c'est monnaie courante dans ce milieu-là, mais
qu'on s'y recase très vite.

— Oh! je n'en ai pas envie! fait Catherine avec une
petite moue dégoûtée.

J'aime cette moue. On dirait que Catherine vient de
poser son escarpin dans une ordure. Elle a raison, la
proprette! Chaque femme est vierge, chaque matin, après
l'amour. On ne se réveille pas, on renaît avec le jour,
toute nouvelle. Avouons-le, je ne peux pas arriver à lui
en vouloir. Pas plus que je n'ai pu en vouloir à Nouy.
Serait-ce ma manière d'aimer les gens que de ne pouvoir
détester leurs bêtises? Je ne déteste vraiment que leurs
hésitations. J'enchaîne :

— Rien de bien nouveau, ici. Je suis un peu plus patraque, c'est tout. A ce propos, excusez-moi de ne pas
vous avoir écrit. J'aurais pu demander à votre maman
de faire suivre, mais ma main droite s'est mise en grève.

— Je sais, dit Catherine à son tour, d'une voix lente,
effrayée, Serge me l'a dit.

Parfait. J'avais placé ce prénom tout à l'heure sans
avoir l'air de rien. Le voilà qui revient dans la conversation. Exploitons l'aubaine.

— Vous le voyez souvent?

Et sans attendre la réponse :

— Vous avez raison. C'est un type. Pas si mauvais
bougre qu'il en a l'air et qui commence à creuser son trou.
Lui aussi m'a parlé de vous. Je me demande ce que vous
lui avez fait...

« Gros, gros, gros! » protesta ma prudence. Mais nous
avons affaire à Catherine, dont la finesse n'est pas la qualité dominante. Elle rougit tout de même : un rien, une
tache rose, une nuance d'églantine qui rehausse son teint.
Ce qui ne me déplaît pas : si je n'ai pas du tout envie
qu'elle fasse de la honte, je veux bien qu'à l'occasion il
lui arrive de faire de la pudeur. Qu'elle rougisse encore,
pour le septième! (C'est Roquault qui a fait le compte.
« Ça fait son sixième, dit-il, si mes notes sont com-

plètes. ») Tant que ses joues auront cette faculté, il y
aura de la fraîcheur en elle.

Déjà Catherine se soulève. Il s'agissait d'une visite éclair,
pour voir. Au fond, c'est exactement ce que je désirais :
nous avons raccroché sans histoires. Au moment de partir, rassurée, elle retrouve une gentillesse d'enfant qui n'a
pas été grondée, me suçote, me câline.

— On se revoit, comme avant? dit-elle enfin

Comme avant Inutile d'interpréter ces deux mots maladroits. Il n'y a pas d'avant et d'après. Il y a devant moi
Catherine, qui était déjà ce qu'elle est : une petite fille
sans bonnet, mais dont les gestes ont tant de grâce qu'ils
ont de la vertu.

— A bientôt, Cathie.

Je ne sais pas quelle douceur elle a trouvée dans ma
voix. Elle se retourne sur le pas de la porte, m'offre un
dernier sourire, d'une qualité nouvelle, un sourire sur
qui pèsent ses immenses paupières. Puis elle s'en va. Je
l'entends galoper, en songeant à Nouy qui, lui aussi, est
tellement à son aise dans sa peau et dont la friponnerie a
tant de franchise qu'elle a de l'honnêteté. Serge,
Catherine... La jolie paire! Sans avoir l'ingénuité d'intervenir sur cette carte du Tendre qu'aucun conquérant n'a
jamais modifiée, il faut reconnaître qu'ils sont faits l'un
pour l'autre. Mais pourquoi ne suis-je pas entièrement
de cet avis? L'hypothèse me plaît autant qu'elle me déplaît. Finalement, c'est une Constance bougonne qui a
cette réflexion saugrenue : « Ce Nacrelle ne pouvait donc
pas la garder? »

XXVII

Une seule chanson, maintenant, Constance, quand tu auras envie de fredonner (ce qui devient de plus en plus rare), une seule chanson : *J'attendrai...* Ici, se place la pire période de ta vie : celle de l'enlisement. Jours, semaines, mois vont défiler, défiler. Tu n'en as pas fini d'attendre. Tu n'en finis pas de finir.

En apprenant la suprême « sortie », Rénégault avait poussé les hauts cris : « Elle peut avoir une syncope à n'importe quel moment. J'interdis qu'elle mette les pieds dehors. » Protestation superflue. J'aurais été incapable de renouveler mon équipée. Je ne tenais plus debout du tout, même soutenue. Il fallait m'attacher dans mon fauteuil. Nécrosé jusqu'à l'os, le médius de ma main droite était tombé. Un nouveau panaris indolore attaquait l'annulaire. Mon épaule se disloquait. Mon bras droit ressemblait à un bras de polichinelle. Quant au bras gauche, il s'atrophiait de plus en plus. Je ne pouvais plus ni manger, ni me coiffer, ni me déshabiller sans l'aide de Mathilde, qui me coupait mon pain, ma viande, m'écrivait mes lettres, me mettait au lit, me conduisait aux cabinets comme un enfant. Charmante existence! Il m'arrivait malgré moi de m'en plaindre, de dire en passant ma main lente en travers de mon cou :

— A combien d'années de guillotine sèche m'a-t-on condamnée? Je vis jusque-là... Je suis décapitée vivante.

Je ne pouvais même plus collationner. Je ne pouvais plus faire quoi que ce soit dans le domaine des choses pratiques. Tourner le bouton de la T. S. F. ou les pages d'un livre, décrocher le téléphone, c'était à peu près tout ce qui me restait permis. Encore devenait-il difficile de déplacer mon fauteuil roulant pour atteindre ces objets en l'absence de Mathilde ou d'un tiers secourable. Deux ficelles, l'une attachée au pied de la table, l'autre à un barreau de mon lit, me facilitaient un va-et-vient entre ces deux meubles, la porte de communication demeurant toujours ouverte pour les besoins de la cause. Quand la main gauche faiblissait, je tirais avec les dents.

La moitié de mon temps était employée à chercher à quoi je pourrais bien employer l'autre moitié. Rassemblée dans ma tête et même rassemblée dans mes yeux, je ne me résignais pas à désarmer. Ils étaient importants, mes services, pensez donc! Ceux de mon regard qui faisait la mouche du coche : « Mathilde, le lait va passer par-dessus bord. » Ceux de ma mémoire, qui se taillait une spécialité dans le genre mouchoir-noué-aux-quatre-coins : « N'oublie pas la commande du papetier. » Ou encore : « C'est ce soir que tu livres chez Mme Baux, rappelle-toi, tantine. » En somme du beau travail de perroquet!

Faute de mieux, je jouais de plus en plus souvent aux échecs avec le père Roquault, qui déplaçait les pièces à ma place pour ménager mes mains, tandis que j'annonçais, immobile : « Db8... Rh2... Th6, échec! » Je lisais, aussi. Peu de romans. Des livres techniques, en général. Pour peu de temps, pour si peu de temps — mais qu'est-ce que le temps? — je me documentais sur la peinture, la céramique, l'organisation des Eglises protestantes... Après tout, était-ce si absurde de vouloir arriver un peu plus instruite devant la mort qui anéantit avec indifférence les grandes misères comme les grandes fortunes de la pensée? N'était-ce pas une forme de ce combat contre la pendule, plus urgent pour moi que pour tout autre, mais qui n'épargne aucun de nous? « Ne serait-ce qu'une seconde, j'ai connu, j'ai compris, j'ai dominé

quelque chose de plus, et cette connaissance est le meilleur reproche que j'oppose à ma fin. »

Autre avantage : je devenais plus compétente, j'enri-
chissais mon « fichier ». Les livres eux-mêmes, qu'il me
fallait pour la plupart emprunter, constituaient un appât.
Admirable animatrice, qui devenait bel et bien l'unique
bénéficiaire de la S. S. M.! Epouvantés par l'idée que j'en
étais réduite à vivre comme un pieu, émus par ce trois
quarts de cadavre qui leur criait : « Je m'ennuie à mourir.
Apportez-moi des bouquins », flattés de ce que je les choi-
sissais dans leur spécialité, intéressés (du moins, certains)
par le sentiment obscur de racheter quelque chose à bon
compte, de s'offrir une pénitence facile... Serge, Pascal,
Luc, Catherine, Mlle Calien, ils revenaient tous, avec
plus ou moins de régularité. Ils me trouvaient immobile,
enveloppée dans une grande couverture blanche qui
cachait mes difformités et tombait jusqu'à terre, par-dessus
le fauteuil roulant. Tandis que je leur offrais les mêmes
sourires, les mêmes boutades (ceux-ci, comme celles-là,
bien forcés!), ils avaient la gentillesse de laisser l'Egérie
moribonde croire à son influence. Les « Croyez-vous que... »
fleurissaient de plus belle sur les lèvres de Pascal, et
Mlle Calien ne s'asseyait jamais auprès de moi sans avoir
dit :

— Ah! je suis fatiguée, je suis découragée, Constance.
Je viens recharger les accus.

Pensez si j'étais dupe!

*

Comment l'aurais-je été, du reste? Tout enfant, j'avais
déjà horreur des phrases, des projets, des bonnes intentions (dont l'enfer est pavé, assure le proverbe, tandis
que le ciel doit être couvert de mauvaises actions, de
« tuile récupérée », comme disent les gens du bâtiment).
Je n'ai jamais pu m'intéresser qu'aux faits, aux essais, aux

preuves tangibles qu'offre de soi un caractère. On ne m'offrait pas grand-chose.

Ne soyons pas injuste... Si, Pascal au moins devenait intéressant. Son fameux « porte à porte » n'avait guère réussi; il n'en avait ramené que des déboires, des quolibets. Son conseil presbytéral s'inquiétait d'un zèle qu'il jugeait intempestif et ses supérieurs lui conseillaient les missions où peut se donner libre cours cette fureur apostolique qui semble ridicule aux civilisés et dont ils font volontiers profiter les sauvages. Mais Pascal donnait l'impression de vouloir aller jusqu'au bout. Je le voyais attentif, inquiet, serrant une mâchoire plus solide. Un jour, il m'apporta une publication de la Société évangélique qui titrait en gros caractères : *En Afrique centrale, des peuplades entières passent au Christianisme.* Je devinai ses intentions et j'éprouvai, pendant une demi-heure, un sentiment qu'il ne m'avait jamais inspiré : une sorte de regret. Je me crus balancée entre ces deux façons que nous avons de perdre un être : le perdre en sa présence si nous le laissons s'éloigner de son but, le perdre en son absence si nous le poussons vers un but qui l'éloigne de nous. Mais il m'apparut très vite que ce regret manquait de chaleur, qu'il ressemblait au dépit des supporters qu'un transfert prive du meilleur joueur de leur équipe. Pascal allait peut-être gagner ailleurs... Dommage! Mais, gagnée ou perdue, sa partie ne serait plus la mienne. Du reste, avait-elle jamais été mienne? Avait-il jamais eu vraiment besoin de moi? Un *test*, voilà tout ce que j'étais pour lui. Trois gouttes de salive dans le creux de la main... Gédéon, va!... Va boire ailleurs! Et je pensais, peu satisfaite d'être satisfaite de lui seul, curieusement hostile et en même temps presque indignée de mes contradictions : « Lui, ça ne fait rien. Mais si c'était Nouy! »

Nouy? Charmant garçon! Celui-là ne m'épargnait guère, ne ratait pas une occasion de me jeter dans les transes. Que le désintéressement ne fût pas son fort, je l'admettais. Après tout, il y a plusieurs façons de vivre également valables et, sans rapaces, les colombes finiraient

par devenir bien encombrantes. Mais pourquoi ce
garçon, si large des épaules et capable d'enfoncer les
vantaux d'une place forte, gardait-il la nostalgie des portes
basses par où se glissent les pâles combinards? Son affaire
marchait bien. Il vendait du moutardier-w.-c. par mil-
liers. Tant pis pour les Américains! Malheureusement, il
ne pouvait s'empêcher de traficoter *en marge*. Je lui aurais
plus volontiers pardonné un beau coup de main, une
escroquerie d'envergure. Après une histoire de tabac
belge — où il avait laissé des plumes — il s'intéressait
à une « filière » d'importation clandestine de l'or, dont
il n'était même pas le manitou, mais un vague comparse,
un de ces innombrables intermédiaires qui grignotent
des deux pour cent au passage. Pure distraction. Véritable
manie. Il faisait collection de fraudes comme d'autres
font collection de timbres. Et j'avais beau faire, je n'arrivais pas à me persuader que chez lui c'était un besoin de
risque, de forcer la petite chance à défaut de la grande,
une sorte de sport dévoyé.

Quant à la sémillante Cath, qui déjà n'était plus cha-
grine, elle avait — sur le conseil d'on ne sait qui —
essayé de s'aligner dans un concours de beauté pour le
titre de Miss Paris. Je ne l'avais ni encouragée ni découragée. Parvenue en finale, mais desservie par une certaine rumeur qui flottait autour d'elle, Catherine avait
échoué. Peu de temps après j'eus le tort de vouloir lui
offrir une revanche. Luc (qui, entre parenthèses, ne reprenait pas de travail) m'avait confié :

— Catherine ferait une admirable cover-girl. Je donne
quelquefois des dessins à une revue féminine qui l'enga-
gerait sûrement. Cover-girl, toutefois, c'est un métier où la
beauté ne suffit pas.

J'hésitai. Cependant, parce que la beauté « ne suffisait pas », je finis par transmettre la proposition. Mal
m'en prit. Gâchant l'idée (et ses chances), Catherine se
prodigua bientôt, pile et face, dans un de ces illustrés
dont la loi n'autorise plus l'étalage.

Ce nouveau déboire me fit rentrer dans ma coquille.

Bien sûr, je ne pouvais, moi non plus, perdre ma manie :
celle de glisser mes petits avis dans la cervelle des gens
comme des sous dans une tirelire défoncée. Mais je me
sentais gagnée par la cir-cons-pec-tion (l'affreux mot!).
« Halte à l'exaltation, mignonne! me disais-je de temps
en temps. Les grands gestes ne valent pas plus cher que
les grands mots. Il y a des méthodes plus banales, des
patiences plus sûres. » Des patiences! Elles m'étaient
cruelles, à cause de la pendule dont les battements ne
seraient pas longtemps parallèles à ceux de ma poitrine.
Et je me soupçonnais de lâcheté : « La paralysie te
remonte de nerf en nerf, ma pauvre fille! T'aurait-elle
déjà traversé le cou? »

*

Mai, juin... Claude était toujours à l'hôpital. Sa mère
s'était mise en ménage avec son commis épicier. Luc
suçait ses crayons.

Juillet, août... Les vacances dispersèrent tout le monde,
me privèrent de la plupart de mes visites. Sauf de celles
de Serge, qui prit seulement huit jours de congé aux
Sables-d'Olonne (où se trouvait Catherine) et dut revenir
s'occuper de sa fabrique, dont c'était la grande période
d'activité et qui expédiait aux estivants, par caisses, du
« Souvenir de Trou-les-Bains ». Esseulé, mon Nouy venait
me parler de Catherine, avec de comiques réticences.
Luc barbouillait des « rouges étonnants », aux frais de sa
famille, du côté d'Antibes. Pascal paissait quelques brebis
scoutes, en montagne. Mlle Calien promenait une colonie
sous les chênes à truffes du Périgord. Un second doigt
de ma main droite m'abandonna.

Septembre... Quand ils revinrent tous, ils me trouvèrent
dans ma cellule blanche, étendue sur mon lit, bien propre,
bichonnée, peignée par Mathilde, qui pour la première
fois de sa vie avait maigri d'un kilo. Je ne me levais plus.

XXVIII

On ne me laissera pas mourir tranquille.

Je n'attends rien ni personne. Le samedi soir, à l'heure du cinéma, de l'ouverture des bals et des promenades à deux dans les petits coins noirs, les enfants et les infirmes n'ont qu'à s'occuper de leurs ronflettes. Je viens d'éteindre le poste, placé par Mathilde à côté de mon lit et qui osait diffuser un bulletin météorologique optimiste (défi à ma réclusion! Au surplus, le climat de la Terre m'intéresse désormais aussi peu que celui de Mars). Je vais me coucher... Je veux dire : je vais rentrer mes bras sous les couvertures (opération plus longue que mon déshabillage éclair de jadis). Mais le téléphone sonne. Mathilde, pour m'épargner un mouvement, débouche en trombe de la salle commune, saisit l'appareil et me le présente sous le nez.

— Orglaise?

C'est Luc. Le Luc pipelet, qui commence toujours par une salade de balivernes :

— Ça va?... Merci, moi aussi. Je viens de vendre un tableau. Pas cher, évidemment. Mais j'en ai vendu un : le plus rouge de la série rouge, le plus moche... Rien de nouveau?

Ton d'attente... Je n'aime pas ça. Luc ne téléphone jamais pour prendre des nouvelles. Il passe à la maison. Du reste, il est depuis toujours au courant de tout. Je réponds, à mi-voix :

— Rien. Rien que tu ne saches. Il se confirme que
Berthe est enceinte. Quant à Claude, je t'ai déjà dit qu'il
rentrait après-demain, plus bancal que jamais.

— Enfin, il revient, c'est tout de même ça!... Je parie
que tu dormais déjà... Non? Alors tu fredonnais ta scie :
T'en fais pas, la Marie... T'aurais tort, ce soir.

Pour arriver à l'essentiel, il s'approche de biais, comme
l'écrevisse. Qu'a-t-il donc de si fâcheux à m'apprendre?

— T'aurais tort! répète-t-il, satisfait de cette liaison.
Je parie que tu ignores que Serge a passé sa journée au
Quai des Orfèvres. Inguérissable, ce type! Sa boîte ne lui
suffit pas. Il faut qu'il trafique. C'est Catherine qui doit
en faire un nez si elle est au courant! Parce que, Catherine, tu sais ou tu ne sais pas, effeuillerait volontiers avec
lui sa septième marguerite...

Il est bien question de ça! Serge arrêté! L'émotion me
rend laconique.

— Où est-il?... A la Santé?

A ce mot, Mathilde a un haut-le-corps et s'empare de
l'autre écouteur. Mais Luc me rassure.

— Ne t'affole pas! Il est rentré chez lui. Il a seulement
très chaud. La police prétend qu'il se trouvait jeudi, à
vingt heures, dans un café de la Bourse où avait lieu
un « arrivage de jonc suisse », comme ils disent. Bien
entendu, Serge soutient que non. L'histoire en est là.
Mais fais-lui confiance. Puisqu'il n'a pas été pris sur le
fait, il trouvera bien un alibi.

*

Il l'aura même tout de suite.

Depuis longtemps, je souhaitais pour Serge un coup de
semonce, un petit « pépin ». Le coup de semonce est
donné, mais le pépin est trop gros. J'ai à peine pris le
temps de dire bonsoir à Luc, j'ai raccroché et, sans réfléchir plus avant, j'ai redécroché aussitôt pour appeler ce

truand de Serge. Quatre phrases — assez vives — et le
voilà fixé. Il ne s'émeut pas, lui. Il réplique, bonasse :

— Tu es au courant?... Oh! là là, que viens-tu encore
faire là-dedans?

Ne tournons pas autour du pot. Cassons-le tout de suite.

— Mais, Serge, tu étais chez moi jeudi soir. Pourquoi
ne pas en faire état?

Réponse immédiate. L'idée qu'il s'est faite de moi
empêche d'abord Serge de comprendre.

— Erreur, dit-il, je suis allé chez toi mercredi et
non jeudi.

Il ne va tout de même pas me forcer à lui faire un
dessin! Si Pascal était au bout du fil, il serait blême d'indignation. Il est vrai que je n'en ferais pas autant pour lui,
qui ne me mettra d'ailleurs jamais dans la situation de
le faire. J'insiste :

— Nous disons jeudi et voilà tout.

Suis-je assez claire, cette fois? J'entends une série de
sifflotements, puis un gros éclat de rire et enfin ce jovial
commentaire :

— Mais c'est un superbe faux témoignage, vénérable
demoiselle, que vous me proposez là!

— J'en ai peur.

Nouvel éclat de rire, plus bref et de meilleure qualité.

— Non, Constance, non. Pas toi! D'ailleurs, j'ai tout
ce qu'il me faut sous la main.

Soudain, je me sens ridicule. J'ai l'air d'une petite fille
qui offrirait son aide au monsieur pour lui faire traverser
la rue. Je me sens aussi honteuse : je viens tout bonne-
ment d'offrir ma complicité dans une affaire louche. Mon
orgueil ne me surveille donc plus? Quel autre ressort m'a
fait sauter sur l'appareil?

Serge ne rit plus. Il dit d'une voix savoureuse, qui me
ravigote :

— Merci quand même. T'es une chouette fille!

XXIX

AUTRE émotion. Attendue, il est vrai. C'est aujourd'hui
que Claude doit revenir.

La porte de communication est ouverte. Par les deux
trous de clef de ses remontoirs, noirs comme des yeux,
le visage très blanc de la pendule regarde fixement cette
Constance-Tronc si parfaitement immobile que le som-
mier métallique n'a pas vibré depuis des heures. Ma
tête s'enfonce au milieu de l'oreiller, posé lui-même au
milieu du traversin, Un seul bras, le gauche, mince comme
une flûte, est allongé sur le drap où Mathilde a pris soin
en s'en allant de poser le récepteur du téléphone dont
le gros cordon serpente, noir sur blanc, dégringole vers
le carreau, remonte vers la cloison. Au fond de la pièce,
le soleil plaque sur la chaux l'ombre de la fenêtre en
forme de croix de Lorraine. Les deux vitres du bas ne
montrent que des toits, celles du milieu des cheminées,
celles du haut un vide bleu que traversent les flèches
stridentes des martinets. Des coups de tranchoir manié
à plat pour écraser le bifteck, le halètement feutré d'un
gonfleur, le gargouillis d'un robinet crachant l'eau dans
la cuvette d'étain où s'étouffe le tintement des verres me
rappellent que j'habite près d'un boucher, d'un garage,
d'un café, distants de moins de vingt mètres et devenus
aussi invisibles, aussi irréels que ceux de Marseille ou de
Sydney. Le monde se rétrécit. La cellule elle-même se

rétrécit sur moi. Pourtant, recroquevillée sous mes cheveux, je refuse de rêver. Mon regard bouge, va et vient,
prétend rester vivant comme un geste et réaliser à la
lettre cet ironique conseil de « toucher avec les yeux »
que l'on donne aux enfants.

Soudain je remue un doigt, en croyant remuer toute
la main. Les voilà! Avertie par un piétinement lointain,
mon oreille infiniment oisive s'exerce à reconnaître des
pas familiers. Frottement long, troublé par le bruit dur
d'un croissant métallique : Mathilde. Claquement de
semelle avec rappel du talon : Berthe Alanec. Trotte sur
pointes qui fait gémir du chevreau : Mlle Calien. Bond
de trois en trois marches, qui fait vibrer la rampe :
Milandre. Et ces pas qui ne sont pas des pas, qui ne
reposent pas sur des pieds, mais qui ballottent au hasard :
Claude... Enfin, Claude! La porte, qui s'ouvre sur quatre
voix, ne m'apprendra rien de plus. Je me soulève, je
secoue ma tignasse comme on rajuste autour de soi les
plis d'une robe. Mes yeux sautent aux yeux du petit
pantin blême, que l'on traîne jusqu'à mon lit, plus mou,
plus fade que jamais et qui depuis des mois a un peu
oublié sa « Stance ». Puis ma tête retombe, s'abandonne, se
laisse humecter par ces embrassades pour grands malades,
rituelles et désolées comme une extrême-onction. Déjà
Mlle Calien étend sa main gantée pour tapoter la main
qui gît sur le drap. Elle parle à travers sa voilette qui
tamise ses mots :

— Constance, il faut être raisonnable. Votre tante veut
reprendre Claude que le docteur nous renvoie dans un
état qui... qui s'est amélioré sans doute, mais pas assez
pour... enfin, jugez! Cet enfant ne doit plus rester ici.
Dites à Mlle Orglaise, dites-lui vous-même, qu'elle ne
peut pas s'imposer cette double charge. Vous, Berthe,
vous voyez aussi que ce n'est plus possible.

Berthe Alanec ne répond rien, hébétée, le ventre proé-
minent, le gosse entre ses jambes. Mathilde torture ses
mèches en protestant :

— Mais si, mais si!

Décidée à faire flèche de tout bois, elle retourne l'objection, s'en fait un argument :

— Si Claude marchait, je ne pourrais pas l'empêcher de faire des bêtises. Mais puisqu'il ne peut pas marcher, justement...

Malgré mon menton qui grelotte, c'est à moi d'intervenir :

— Allons, tante, sois sérieuse!

Je crois bien que mes yeux me contredisent, la supplient de ne pas l'être. Mathilde change de tactique :

— Et comme il se traîne à quatre pattes, tout de même, je me sentirai plus tranquille quand je serai obligée d'aller en courses. Le petit peut aller chercher un objet, prévenir les voisins...

— Dites que vous ne voulez pas imposer ce sacrifice à votre nièce, reprend Mlle Calien, avec une dureté de chirurgien qui a décidé d'opérer un patient malgré lui.

— Non, en effet! avoue enfin Mathilde, qui manipule son sautoir.

Elle ajoute, en louchant sur la ceinture de Berthe Alanec :

— D'ailleurs, dans l'état où se trouve cette femme, comment s'occuperait-elle de Claude?

— C'est bien ça qui me chiffonne! murmure Berthe d'une voix lâche, habituée aux profitables contritions.

— Ah! vous, alors!

Marie Calien s'est retournée. L'interjection exprime tout ce qu'elle pense sur ces malheureuses qui réembrouillent à plaisir des situations compliquées dont on a eu tant de mal à les sortir.

— Je vais me marier, dit précipitamment la pauvre fille, sans se douter que ce qui sauve sa seconde faute alourdit la première.

— Ça n'arrange pas tout! réplique sèchement l'assistante. Votre... fiancé m'a courageusement prévenue : « Je « prends Berthe et le gosse que je lui ai fait. Je ne prends « pas l'autre avorton. »

Silence. Berthe baisse le nez. Mais toutes trois, les sans

anneau, les vieilles filles, qui vivons des restes d'autrui,
nous relevons la tête. La mienne quitte de nouveau
l'oreiller, malgré le poids de mes cheveux qui me semble
si lourd. Je considère ce corps étranger qui, sous la couverture, s'allonge vers des pieds morts. cette horloge
blanche et menaçante comme une lune d'hiver. cette
grosse Mathilde dont la main vient de saisir l'épaule de
Claude pour l'attirer a elle. J'hésite. Quel beau legs à
lui faire! Quelle jolie preuve de gratitude! Même si elle
a du goût pour les dévouements revêches, tatillons et
tenaces, de quel droit continuerais-je, une fois morte, à
lui repasser comme de mon vivant les tâches que mon
imprudence a désirées? Qu'elle ne me fasse pas ça comme
une aumône!... Je sais, ce n'est pas une aumône. Ni une
leçon. C'est un besoin. Un besoin que nous avons, dans
la famille. Ce qu'elle espère, ce sont de nouvelles, de
longues années de soins, de privations et de soucis. Elle
se rembourse d'un malheur par un autre. Ah! qu'elle se
taise! Je sais ce qu'elle va dire.

Mais Mathilde se penche. Le kyste de sa paupière fré-
mit. Toute sa graisse tremble. Elle souffle, près de l'oreille
de Mlle Calien. là où s'attache la voilette :

— Vous comprenez bien! Quand elle... Quand elle ne
sera plus là, j'aurai quelqu'un.

Et le sautoir se brise net sous ses doigts.

XXX

De mieux en mieux. Pour croître et embellir. ça croît! Ça embellit! Le dictionnaire de médecine m'avait prévenue : *Rien de plus commun que la rétention chez les grands paralytiques, qu'il faut alors sonder...* Et je me souviens aussi de cette note encourageante : *Le danger est que, malgré toutes les précautions d'asepsie, des sondages répétés aboutissent souvent à de graves infections urinaires qui abrègent les jours du malade.*

Abrégeons, abrégeons. Après avoir examiné mon ventre distendu et une rougeur de la fesse qui lui paraît suspecte, Rénégault vient de se tourner vers Mathilde.

— Je vais la sonder. Puis vous tâcherez de vous procurer un matelas d'eau. Elle nous fait de la rétention et un commencement d'escarre.

Son attitude est très significative. Aucune inquiétude visible sur ses traits. C'est un homme qui en a pris son parti, qui prodigue ses soins comme un poseur de mines essaie de retarder l'avance ennemie. A peine esquisse-t-il son habituel mouvement de mâchoires. Il y a beau temps que Cralle ne le seconde plus. Déranger un spécialiste, c'est conserver un espoir. Il y a également beau temps que Rénégault ne me cache plus rien, qu'il ne s'isole plus avec Mathilde pour lui faire secrètement part de ses craintes. Sa franchise entend me rendre hommage. A tout autre

client, il dirait : « Ne vous frappez pas. Avec du temps
et de la patience, vous vous en tirerez. » A moi, il me
confie, bonhomme :

— Tu te défends bien, bougresse!

Je lui rends aussitôt la politesse :

— Dites à la camarade Camarde qu'il faudra repasser.

Nous savons très bien à quoi nous en tenir, l'un et
l'autre. Mais nous savons aussi qu'on n'impose pas aux
gens pendant des semaines, pendant des mois un climat
d'agonie. Et puis, Thomas-Thomas, la foi dans l'inéluc-
table ressemble à la foi tout court : on ne croit pleine-
ment qu'à ce qui est arrivé. Des yeux, de la langue, des
cheveux, de tout ce qui bouge encore en moi, il me faut
lutter contre ce gisant que je figure de mon vivant
même, pour déconcerter Mathilde, pour retarder chez elle
l'heure des convictions poignantes.

— Ça va te soulager, dit Rénégault, qui retire d'un
tube de verre recourbé en forme d'U une sonde de
caoutchouc.

Mathilde me glisse un bassin sous les reins. Je ferme
les yeux. Si entraînée que je sois aux pires humiliations
physiques, celle-ci m'est vraiment trop pénible. Que la
paralysie débauche mes muscles un à un, passe encore!
Mais elle pourrait avoir la pudeur de ne pas gagner mes
sphincters. Mon cher Pascal, voyez-vous comment votre
Providence récompense une fille propre? Vous qui devenez
pressant, qui me disiez l'autre jour : « Dieu rôde autour
de votre souffrance. Offrez-la-lui... », trouveriez-vous une
jolie formule pour me prouver que celle-ci lui agrée, qu'il
la renifle comme un encens, qu'il procède à de savantes
compensations... qu'il rend, par exemple, à Catherine une
septième pureté en échange de l'offense injuste faite à la
mienne? Le Seigneur a du goût pour de curieux mérites!
Et si j'œuvre à sa gloire, vraiment, dans cette position...

Un rire nerveux me secoue, fait protester Rénégault
qui pousse délicatement son tube. Il grogne.

— Celle-là, alors! Qu'a-t-elle donc dans le corps? Elle
rirait dans un cercueil.

Il interrompt son répugnant travail pour se gratter l'oreille et ajoute, à mi-voix :

— Attendons un peu. La vessie était si distendue qu'il serait dangereux de tout évacuer d'un coup. Tu te sens mieux, Constance?

Je me sens mieux. Je ne veux pas savoir pourquoi. A quoi penser, à quoi penser, pour ne pas crever d'humiliation?

*

A eux. Si je vais plus mal, « ils » iraient plutôt mieux. Pascal fait un tas de choses bien. De petites choses. Il reste froid, bénisseur. agaçant, sa mécanique m'échappe, mais il fait son métier. Si je n'avais pas un faible pour les salauds et les tordus, je devrais « mettre en lui mes complaisances ».

Malheureusement — ou heureusement — mes complaisances vont à Serge, qui me laisse souffler un peu. Il a eu la frousse. La peur du gendarme ne le rehausse guère à mes yeux. Mais... Disons-le, quoi! J'ai une faiblesse pour sa bonne gueule, une sorte d'affection qu'il m'a escroquée comme il a escroqué les commandes de sa fabrique. Il a des naïvetés brutales. des délicatesses inattendues. Le sentiment rocailleux qu'il voue à Catherine le rend attachant, le rachète. Serge racheté par Cath! Un mathématicien dirait : moins par moins donne plus. Luc, dont tous les jugements sont téméraires (mais non le caractère, hélas!) assure que « Serge a déjà pris la succession de Nacrelle ». Et après! Nouy l'avouait lui-même lors de sa dernière visite : « Dire que je suis assez ballot pour être mordu! » Excellente affaire. *Ne hisse plus le drapeau noir si tu as femme à bord*, proclame un proverbe des îles. Le portefeuille de Serge. et son cœur, situé immédiatement au-dessous. pourraient connaître des résolutions de nanti. Acceptons le pis aller. Je me fais à l'idée que les pis aller sont plus sûrs que les à-tout-va.

Je suis moins sûre, cependant, d'être contente que
Catherine soit la bénéficiaire de celui-ci. Avant-hier, conti-
nuant à jouer les marieuses (péniblement), pour limiter
les dégâts et parce qu'après tout Serge et Catherine, ça
peut aller ensemble comme gargotier et marée pas
fraîche, je me suis permis de lancer : « Nouy devient
très sortable. » Je l'aurais giflée, la petite, quand elle m'a
répondu : « C'est bien pourquoi je sors avec lui. » Se
rend-elle compte qu'elle promène sa dernière chance, sur
ses talons hauts?

Quant à Luc, qui travaille à l'essai depuis quelques
jours chez Serge (notons ceci au crédit de l'un et l'autre),
je serais tentée de faire un peu plus de cas de lui. Je l'ai
trop malmené. Ce n'est pas de sa faute s'il appartient à
la grande foule des gens qui méritent les choses après
coup, qui n'ont pas une nature de prise (Nouy) ou de
don (Pascal), mais une nature d'échange. Première
démonstration : voulant à tout prix épater la confiance
de son condisciple et patron, Luc vient de lui présenter
un projet de carreaux de poterie artistique pour revête-
ments muraux qui lui a arraché ce cri : « Sensa! » Et
voilà mon Luc, tout excité, qui ne quitte plus l'atelier
des maquettes.

Je ne parle pas du père Roquault, de Claude. Un
vieillard, un enfant ne se justifient pas et je songe, amol-
lie : « Pourquoi les uns nous réchauffent-ils mieux que
les autres? Celui-ci plus que celui-là. Serge plus que Pascal. Pourtant nous faisons tous trente-sept degrés. »

*

— Voilà! fait Rénégault.

— Enfin! soupire Mathilde, rabattant vivement les
draps.

Un bien-être m'envahit, que je ne puis nier, mais que
je peux attribuer à de plus nobles causes, n'est-ce pas!

Mes gars sont en progrès. C'est moi qui suis sur mon déclin. Une brusque réaction fouette mon pauvre sang, me rend mon optimisme agressif. Comment te montrer digne de toi, l'Egérie? Tu es un peu lasse d'être fière par procuration. Ne serait-ce pas une gageure de tirer quelque chose de ton propre fonds, d'utiliser l'inutilisable Constance-tronc? Où donc ai-je lu cet article sur la greffe de la cornée?

— Pendant que je vous tiens, docteur, donnez-moi donc l'adresse de la Banque des yeux. Et dites-moi si les miens pourraient lui servir.

Rénégault sursaute, dirige vers moi un soupçonneux regard de psychiatre. Oui, mon bonhomme, je dis bien : mes yeux. Ma dernière fortune. Pourquoi les perdre inutilement? Les morts sont une variété d'aveugles et je vais l'être prochainement. Je souris, comme s'il s'agissait d'une bonne plaisanterie. Rénégault retrouve ses fausses fureurs, joue de ce menton à coulisse, de cette barbe flamboyante qui impressionnent certains clients rétifs :

— T'es louf? Tu te figures que, dans ton état, tu peux t'offrir le luxe de céder tes mirettes et qu'il se trouvera dans mon estimable corporation un monsieur encore plus louf que toi, capable de t'énucléer?

Il a raison et, réflexion faite, j'ai encore besoin de mes ambassadeurs. Il faut ramener ce projet à des proportions raisonnables, sous la forme d'un nouveau legs :

— Je veux seulement remplir la formule qui permet à la Banque de récupérer les yeux des gens après le permis d'inhumer.

— Je n'ai pas encore signé le tien! dit Rénégault, bourru.

XXXI

Lᴀ cellule blanche. L'ombre, par endroits, bleuit la chaux. Ailleurs se déplacent des taches lumineuses; un couchant d'automne rend aux vitres leurs couleurs de fusion. Dans la salle commune, Claude — qui maintenant couche sur place et que sa mère fait seulement sortir le mardi — moud interminablement trois notes dans un moulin à musique. Mathilde tourne la ronéo. Le récepteur du téléphone n'est plus sur le lit. A quoi bon! Le bras gauche a rejoint le bras droit sous les couvertures. Je monte en grade : de Constance-tronc, me voici promue Constance-tête. Couchée sur la joue gauche, je regarde Pascal.

Il serre les genoux. Ses pieds, chaussés d'honnêtes souliers ressemelés, sont collés l'un contre l'autre, ses mains jointes, ses épaules rentrées. Il ne semble pas vraiment embarrassé, ni à court d'éloquence. Mais ses mots, ses gestes, ses regards font penser à l'oiseau pris dans la glu. Il est tout enduit de pitié; il ne saıt comment s'en dépêtrer.

— Je crois, dit-il sourdement, que cela vaut mieux. Il va de soi, Constance, que personne ne m'y force. Je suis libre. Nous sommes toujours libres dans l'Eglise réformée de refuser un poste et même de renoncer à notre ministère. Nous jouissons aussi des plus grandes latitudes pour l'exercer selon nos moyens et dans l'esprit qui nous convient. Les conseils que l'on nous donne ne sont vraiment que des conseils. C'est moi qui, de mon propre chef, ai adressé une demande à la Société des Missions.

Il est bien, Pascal. aujourd'hui. Il pue la fougère, on
voit qu'il sort de chez le coiffeur et ce détail imprévu
rend sa présence plus vivante, plus « séculière ». Ses
lèvres, d'ordinaire plus minces, ont une couleur, un
contour franc, et les phrases qui en sortent sont enfin
nettes, dépouillées de leurs habituels oripeaux de sacris-
tie. Une bonne décision rend les gens simples. les allège.
Pour m'alléger, moi, il faudrait que je me décide. que je
me décide à mourir. Je me sens pesante comme une
statue de plomb. L'air même que je respire est trop lourd :
on dirait qu'il s'épaissit.

— Et ne croyez pas. reprend Pascal avec force, que je
parte à cause des difficultés que je rencontre. Il y a des
difficultés partout. Ce n'est pas non plus parce que j'ai
l'impression de ne rien pouvoir faire ici, où nous avons
au contraire une rude partie à jouer. Mais, comment
dire?... Dans ces vieux pays dont la trame chrétienne
commence à s'user. il s'agit avant tout de ravaudage. Nous
défendons des positions. nous ne faisons plus guère de
conquêtes. Là-bas, au contraire, surtout dans certains sec-
teurs — et c'est un de ceux-là que je désire. — il s'agit
de tissage. Avant de maintenir une communauté, nous
avons d'abord à la créer de toutes pièces. Vous me comprenez?

Si je comprends! Ah! le bon élève qui me ressort mon
vocabulaire. mis à la sauce Pascal! Ce langage-là finirait
par me rendre des membres. Je bouge vaguement et, sous
moi, le matelas d'eau qui me défend contre l'escarre fait
floc.

— Au moment où je prends cette résolution grave, je
veux d'abord vous remercier de ce que je vous dois...
Vous dites?

Pascal tend son oreille ronde. bien ourlée, dont les re-
plis sont pleins de petits bouts de cheveu fraîchement
coupés. J'ai dit : « Vous ne me devez rien. » Mais d'une
voix trop basse. trop lasse. Est-ce parce que l'air devient
de plus en plus irrespirable et comme mélangé d'ouate
au fond de mes poumons? Pascal me doit peut-être

quelque chose. Je n'en suis pas très sûre. En tout cas la
réplique est sortie de ma bouche, instinctive, comme s'il
m'était absolument nécessaire de battre en retraite devant ce succès. *Ce que je vous dois!...* Rien, rien, rien. Que
ceci reste une formule de politesse! Qu'il n'y croie pas,
qu'il n'y croie jamais! Une fois seul, il pourrait se sentir
abandonné. Mieux vaut qu'il se fourre les pouces aux
entournures de son gilet et dise : « Je suis content de
moi », ou, s'il lui faut de l'humilité pour en faire un
paravent de sa fierté, qu'il rende la grâce responsable.
Dieu est un tuteur acceptable, assez lointain, qui béné-
ficie de la permanence et de l'ubiquité. Je répète, plus
haut :

— Vous ne me devez rien. Comment me devriez-vous
quelque chose, puisque je ne partage même pas votre foi?
D'ailleurs dans la vie nous faisons tous cavalier seul.

— Vous avez ferré le cheval! dit Pascal avec vivacité.

Il a l'air ému, ses lunettes frétillent sur son nez, ses
genoux s'agitent, se frottent l'un contre l'autre, ses doigts
se croisent et se décroisent. Mais cette émotion doit lui
sembler malséante. Il se calme, se fige peu à peu, rede-
vient le pasteur Bellorget, digne, froidement aimable,
sentencieux, saintement agressif au besoin. Tout à l'heure
il me confiera qu'un de ses regrets, c'est de n'avoir pu
avant de partir découvrir une âme charitable pour aider
sa troupe scoute dont son successeur trouvera la caisse
vide. Je lui répondrai que la main croche de Serge se
desserre parfois d'une façon inattendue.

— Oh! l'argent de Nouy!... dira-t-il, le nez plissé de
dégoût.

Et je retrouverai soudain ma bienveillante, ma fidèle
hostilité.

XXXII

C'EST un défilé. On a dû leur dire que je n'en avais plus
pour longtemps. Rénégault, Mlle Calien passent deux fois
par semaine. Luc deux fois par jour. Le père Roquault
est plus souvent chez moi que chez lui et reste des heures
à mon chevet, hargneux, frileux, fidèle comme un vieux
fox. Claude se traîne sur ma descente de lit. Mathilde
ne s'absente guère et fait faire la plupart de ses courses
par la concierge.

Aujourd'hui, voici Serge et Catherine qui font une
brève apparition, flanqués de Milandre, mon commis, devenu le leur.

*

Catherine porte un ravissant tailleur turquoise et un
de ces voluptueux chemisiers dont elle a le secret. Mais
la poitrine qui le meuble a gonflé. Les grandes paupières
ont cette couleur fatiguée des anémones qui virent du
rose au violet, en fin de floraison. Elle s'assied tout de
suite sur la chaise que Serge lui pousse sous le derrière.
Quand elle pose ses mains sur ses genoux, je vois briller
la bague : deux carats de diamant très pur. Et je songe,
plus hostile encore qu'hier avec Pascal : on a les puretés
qu'on peut avoir.

— On est venu te dire, ma vieille, que Cath et moi, nous allons faire une énorme blague... Tu comprends?

— Nous allons nous marier, dit rapidement Catherine, qui semble préférer le style sérieux.

Luc ne dit rien. Debout contre la fenêtre, il inspecte la rue. Un mince sourire fait bouger ses taches de rousseur.

— Dans la plus stricte intimité, précise Serge. Les grandes orgues et les petits fours, le tube et la traîne, très peu pour nous.

Dommage! Catherine ferait un superbe mannequin pour robe de mariée de haute couture. Je sais bien que le blanc grossit. Mais peut-être faudrait-il que j'exprime mes satisfactions, que je trouve une phrase courtoise. Malgré mes efforts je ne puis articuler qu'un mot : celui qu'on griffonne sur une carte de visite en réponse au faire-part de gens presque inconnus.

— Félicitations.

Le mot toutefois est pour Catherine. C'est à Catherine que je l'ai lancé, tout sec. A Serge, offrons du silence et du sourire. Il est magnifique, le bougre. Ses épaules occupent la moitié de la pièce. Il est beaucoup moins soigné que naguère; il y a même sur le bas de son pantalon des traînées rougeâtres, des traces de barbotine, sans doute. Le directeur des ex-établissements Danin a dû s'approcher très près d'un gâchoir. Serge surprend mon regard.

— Je suis joli, n'est-ce pas? Je sors de l'atelier. Nous ne faisons que passer. J'ai deux gars qui m'attendent, en bas. Je n'ai pas pris la voiture, mais le camion. Nous allons...

— Nous allons chercher un tour, à Saint-Maur, dit Catherine, prenant le relais.

— Autre nouvelle, reprend Serge, nous avons eu une idée, Luc et moi. Des carreaux de faïence...

— A propos de Luc... On peut le laisser ici. On le reprendrait en revenant. Qu'en dis-tu, Serge?

Personne ne s'offense de mes silences : ma respiration de plus en plus difficile me fournit une excellente excuse.

C'est que je ne parviens pas à me réjouir. Je devrais. Je
ne peux pas. Catherine semble être entrée à fond dans
l'intimité de Serge. Elle a déjà ce tic de l'épouse, qui
coupe les phrases comme elle coupe le pain de son mari.
Elle a déjà le pouvoir de proposer, de disposer. Depuis des
mois que je m'occupe de Serge, je n'ai pas pu acquérir
le dixième de ses prérogatives. Oh! là, là, l'amour! Comme
c'est pratique! Je t'obéis, couchée, pour te commander,
debout. Même s'il est sale, un bon drap vaut mieux
qu'un drapeau.

— A tout à l'heure, Constance.

*

Ils sont partis. Je suis furieuse contre moi-même, je me
demande ce qui peut bien me prendre. Au lieu de recen-
ser tous les avantages de ce mariage, je fais le compte
de mes griefs, même des plus petits. Je reproche à Serge
et à Cathie ces regards d'intelligence qu'ils se jetaient de
temps en temps. Je donne une interprétation offensante
à un petit signe du doigt, rapide, en coup de rasoir, le
long de la joue de Serge. Signe qui lui a peut-être
échappé par hasard, qui ne signifiait rien, qui ne m'était
pas destiné. Un vieux souvenir d'enfance me hante soudain. Je revois la dinde de Noël faisant la roue dans la
basse-cour. Nous lui faisions, Marcel et moi, de cérémo-
nieuses visites. Puis, le soir du réveillon, la bonne allait
la tuer et l'emportait nue, saignant du bec, tandis que
le vent pillait le duvet abandonné sur le fumier. Aujour-
d'hui, c'est moi la dinde.

— Quel couple! dit Luc, qui interprète mon air rogue.
Serge pouvait faire beaucoup mieux que ça. Elle aussi,
du reste.

A quoi bon relever la contradiction? S'il n'a pas fait
mieux, il n'a pas fait pis. Elle non plus. Or tous les deux
le pouvaient. Mais Luc, ce matin, est implacable et continue :

— La vérité, c'est que le mariage presse. Catherine a
dû être jalouse des exploits de Berthe Alanec.

Je m'en doutais : les cernes des yeux, ce gonflement de
la poitrine, deux taches jaunes que j'ai repérées sur le
front me l'avaient laissé deviner. Mais j'aurais préféré
ne pas en être sûre, comme je préférerais qu'il se taise, ce
pauvre Luc, à qui ce mariage est odieux parce qu'il est
possible.

— Et tu ne vois pas qu'elle l'ait eu, Serge... qu'il s'agisse
d'un petit Nacrelle!

Allons, tu me rends service. Toi aussi, tu serais bien-
veillant, si tu étais heureux, s'il ne te manquait pas justement ce dont Serge et Catherine te rendent le témoin.
Ne nous aigrissons pas. Je veux bien être injuste, mais en
secret, à l'intérieur; je ne le serai pas devant toi. Mathilde,
qui, dans le capharnaüm, est en train de faire manger
Claude et a suivi toute la scène, nous jette son grain de
sel :

— Moi, je trouve que ce mariage arrange bien des
choses.

— Moi aussi.

Ma voix siffle. Mathilde me regarde longuement. Luc,
faisant glisser ses rancœurs dans une autre direction, dit
encore :

— Tu devrais dire à Serge qu'il m'exploite un peu
moins. Sais-tu qu'il m'alloue royalement quinze mille
balles par mois? Et sais-tu ce qu'il palpe, lui?

Ce qu'il palpe?... Le bras de Catherine, en ce moment

XXXIII

Que doivent penser Serge et Catherine depuis une semaine? Quelle opinion ont-ils emportée de moi, de mon
humeur, de mes contradictions? Serge surtout a dû être
affecté; il s'attendait sans doute à ce que je batte des
mains. Car, enfin, il se range! Ce que je sais de la « fiancée » m'empoisonne l'idée que je me fais de ce mariage.
Ai-je peur d'une trahison de Catherine, qui déjà doit
compter ses amours sur deux mains? Non, ce n'est pas
ça... Serge aurait dû choisir une fille moins belle, telle
que je la souhaitais : bonne cuisinière, pas trop fine (Catherine n'a que cette qualité-là), un peu molle, sans menton, affligée d'yeux de faïence et d'une indéfrisable mouton; épousée, au surplus, aux approches de la quaran-
taine, pour nous donner du répit, pour nous permettre
de tout ignorer (car à ce moment-là les vers m'auront
nettoyée depuis deux lustres). Ainsi prévue et puisqu'il
faut bien qu'un homme prenne femme, celle de Serge
m'irriterait moins; elle m'irriterait encore un peu, tout
de même. Je deviens très jalouse de mon influence.

*

Sonnerie. Le téléphone se déchaîne au-dessus de ma
tête.

— J'y vais, crie Mathilde.

— Non. Si Claude n'est pas encore couché, laisse-le faire. Ça le débrouille.

Un glissement m'avertit : voici l'enfant qui se traîne sur les mains et sur les genoux. Il babille de joie, car peu à peu sa langue se délie, si ses jambes refusent toujours de le porter. La manœuvre fait partie de ses plaisirs. Il sait. Il faut s'asseoir à la tête du lit. On prend l'objet noir de la main gauche et on le met contre la bouche et l'oreille de Stance. De la main droite, on s'occupe de la roue. on fiche le doigt-qui-montre dans un trou. Stance regarde et dit : « Pas ce trou-ci. ni celui-là, l'autre! » Alors on fait tourner. Et l'on recommence, sept fois de suite. Enfin Stance parle. Il arrive souvent qu'elle dise : « Excusez-moi, le petit s'est trompé. » Cette fois-ci, c'est très simple, il n'y a qu'à décrocher. Je soulève un peu la tête pour caler l'oreille contre l'écouteur et tortille mon cou pour bien placer la bouche.

— Allô-lô-lô-lô!

C'est Cath. Un flux de petits cris, un gargouillis mélodieux d'hirondelle au bord de la gouttière : rien à comprendre. Mais voici une autre voix, la basse-taille de Serge : « Alors, ça boume? » Puis Luc succède à Nouy, explique cet appel collectif. Malgré l'heure tardive ils sont encore (bravo) tous trois dans le bureau de la fabrique en train d'examiner les premiers carreaux de poterie sortis du four. Il s'agit d'une série d'essais décor « algues ». pour le revêtement intérieur d'un nouveau bar de luxe qui va s'installer à proximité du Musée océanographique de Monaco et s'appeler *L'Espadon*. Douze carreaux sont très réussis. Les verts de huit autres sont discutables. Si je voulais bien en juger, on me ferait porter demain matin par cycliste...

— Jugez vous-même. Je n'y connais rien.

— Il vaudrait sans doute mieux les refaire. Mais le client part après-demain. Il ne va pas revenir tout exprès du Midi et à moins de travailler jour et nuit...

— Allez-y. Vous dormirez mieux dans trois jours. Bonsoir.

Je rêvasse un instant sur l'écouteur devenu silencieux. Me fait-on la grâce de m'occuper, de solliciter pieusement des avis inutiles? Ou bien mes suffragants ont-ils acquis le goût, le vice du conseil? Depuis quelque temps — depuis l'entrée de Luc à la fabrique — c'est fou ce qu'on peut soumettre à mon appréciation. Mais la sympathie ne tient pas lieu de compétence. A chacun la sienne. Qu'ils se débrouillent et songent que je suis terriblement provisoire!

— Range l'appareil, Claude.

Ce disant, j'allonge la main pour caresser la nuque a filasse. Je l'allonge... non! J'ai cru l'allonger. J'oublie toujours que ma main est morte. Mes gestes veulent durer plus longtemps que mes membres. Si je voulais caresser le gosse, il faudrait que j'appelle Mathilde, qu'elle le fasse pour moi et ce ne serait pas du tout la même chose : ce serait une caresse de Mathilde. Il y a des choses qui perdent leur sens quand elles sont accomplies par procuration : vérité première qui a pourtant besoin d'être dite, car elle explique mes différents échecs! Privé de tous ses moyens, privé de soi, on est bien vite privé des autres.

Sursaut... Tu es optimiste, ce soir! Il est faux que tu sois privée de toi-même, tant que tu ne seras pas privée des autres : voilà ce qu'il faut penser. Du reste, à quelques jours près, quelle importance! Tu vas mourir et, une fois morte, je te réponds que tu seras bien détachée de tout comme de tous! Il faut plutôt souhaiter que ce détachement commence dès l'instant. Rappelle-toi la réponse que tu as faite à Pascal. Tu avais très bien senti le problème, qui se pose « in fine ». Tu as voulu les aider et quoi qu'on puisse penser de cette aide — peut-être nulle — ils y ont pris goût, ils y croient. A ta mort, ils vont se trouver gênés, ces membres extérieurs. Nerf coupé, le fil du téléphone ne leur apportera plus rien. Tu leur fournissais de l'influx; tu risques de devenir leur paralysie. Il faut qu'ils se déshabituent de toi, avant ta disparition;

il aurait même fallu commencer plus tôt. *Tout ce qui est atteint est détruit.* Pour achever une œuvre (même illusoire), il faut encore s'effacer devant elle.

Claude s'est retiré. Mathilde, intriguée, est venue jeter un coup d'œil, puis est passée dans sa chambre où elle couche le petit en lui débitant des mignardises. J'entends aussi la voix du père Roquault qui s'est faufilé jusque-là, comme il le fait presque tous les soirs pour offrir à Claude une partie de chatouilles avant de m'offrir une partie d'échecs.

— Allons, allons, père Roquault, ne me l'énervez pas. Il ne dormirait plus, ce chérubin, proteste ma tante.

Un lointain poste de T. S. F. lance une valse dans le vide. Je tourbillonne dans le mien. *Heure exquise, qui nous grise...* En effet! L'heure t'impose de te détruire, Constance, de te détruire *en eux* avant même d'être atteinte. Car enfin qu'as-tu fait? Tu n'as rien décidé, rien choisi. Tu as joué à vivre des vies différentes, comme l'enfant joue successivement au gendarme et au voleur. Tu as, vaille que vaille, distribué des « poussettes », qu'interdisent tous les règlements sportifs et dont le seul résultat est de faire pénaliser les coureurs ou de leur causer un accident. Catherine, sans toi, n'eût pas connu Nacrelle; Serge n'eût pas escroqué Danin. Et j'en passe... Il est temps de limiter les dégâts. Isolons cette charogne qui ne veut pas s'en aller, qui préfère pourrir vivante et devenir une charge affreuse pour tout le monde. Isolons-la, isolons-la. Plus de visites. Plus de lettres. Plus de téléphone.

Mais quels sont ces cris? Quelle émeute en moi! « Non, non, je ne le verrais plus, je ne le verrais plus! S'il n'a pas besoin de moi, j'ai besoin de lui. Que Pascal s'en aille, que Luc s'en aille, que Claude même s'en aille, tant pis! Que Catherine s'en aille, tant mieux! Pas lui. » Et la vierge folle se révolte contre la vierge sage. Elle braille : « J'en ai assez de ton orgueil. Je n'ai rien eu de la vie. Le peu que j'en pouvais avoir, il me l'a refusé. Si tu veux

faire de l'humilité, commence par l'abaisser. Commence
par lui rire au nez. Car il faut enfin t'en convaincre :
nous sommes amoureuse, ma fille. Amoureuse, nous!
T'es-tu assez moquée de Milandre qui a un gros béguin
pour toi, pour la jeune fille saine, drue, qui fut sa camarade d'enfance et dont il n'a pu se détacher! T'es-tu assez
moquée d'un sentiment qui devenait burlesque et qu'au
moins il a su taire. Eh bien! voilà tout ce dont tu as
été capable! Est-ce assez jõli de faire cette découverte
quand ton drap est sur le point de se transformer en
linceul, quand la candidate aux effusions est une aimable
grabataire qui perd ses doigts pourris et qui pisse à la
sonde! Est-ce assez ridicule? Si nous ne voulions pas du
fidèle Milandre et de ses taches de rousseur, nous aurions
pu jeter notre dévolu sur Pascal, ce saint homme, après
tout assez réussi, assez respectable. Mais nous avons préféré Serge, le costaud, le salaud, l'escroc... Quel sujet de
fierté! Fredonne, fredonne donc, toi qui adores ça et qui
trouves toujours une scie de circonstance : *Tel qu'il est,
il me plaît, il me fait de l'effet, et je l'ai-ai-me!* »

— Tante! Monsieur Roch!

Ma tête oscille, ébranlant la masse inerte et le matel-
las d'eau qui clapote. Le feu aux joues, la respiration sifflante, je crie désespérément :

— Tante! Monsieur Roch!

— Ça ne va pas, mon petit? Veux-tu que j'appelle
Rénégault?

Mathilde est là, les bras croisés sous d'énormes seins
flasques, ses trois mentons rentrés les uns dans les autres,
ses paupières animées d'un battement continu d'oiseau-
mouche. Elle s'est approchée à pas muets du lit de fer.
Elle me considère avec un effroi aussi visible que doit
l'être la fureur qui me déchire. Qu'elle se rassure! Je ne
lui dirai rien. Personne ne saura jamais rien de cette histoire. Et je ne vais pas tomber en syncope. Je ne pignerai
même pas devant elle et surtout devant Roquault, qui
tient son échiquier à deux mains à la hauteur de son
cou, qui semble m'apporter sa tête sur un plateau.

— Je m'ennuyais, dis-je.

Mathilde, qui fait profession de ne rien savoir et de tout deviner, de ne rien entreprendre et de tout accepter, n'insiste pas. Elle branle son chignon, pour montrer qu'elle n'est pas dupe.

— J'ai encore vingt pages à taper, dit-elle d'une voix lasse. Joue avec M. Roquault.

*

Trêve. Mathilde vient d'éteindre la T. S. F. Le père Roquault achève de mettre les pièces en place sur l'échiquier, sans faire aucun bruit. A peine troublé par les trompes lointaines des voitures qui tournent vers le pont de Charenton, le silence m'entoure et me calme.

— A toi de jouer. Le pion de la reine, comme d'habitude? me demande enfin le vieillard, qui ajoute aussitôt en se touchant la caroncule du bout de ce sixième doigt-qui-n'a-pas-de-nom et qu'il préfère à l'index : « Tu t'ennuyais tant que ça! »

Un de mes yeux en effet ne m'a pas obéi, a pigné cette larme de crocodile qui glisse lentement vers l'aile du nez. Je rougis, en regardant le jeu.

— Oui, Pd4. Mais dites-moi, monsieur Roch...

Roquault avance un pion blanc pour mon compte et un pion noir pour le sien. Il relève son nez pointu, secoue ses fanons.

— Quelque chose te chiffonne?

Tant pis! Sans préambule, sans précaution, je lui jette ma sotte question :

— Dites-moi pourquoi je préfère Nouy à Bellorget.

Il tique un peu, saisi. Son visage s'épanouit et se plisse, exprime à la fois la satisfaction et l'inquiétude, le plaisir de la confidence et la peur de faire mal. Il murmure, du coin de la bouche.

— Tu préfères... Tu préfères... Ce n'est pas le mot qui convient. Mais en gros je peux te répondre. Pascal t'a donné des satisfactions, Serge t'a donné des émotions. Et comme sans le savoir tu es femelle comme pas une... Allons. qu'y a-t-il encore?

L'autre œil me trahit à son tour.

XXXIV

Ils ne me trahiront pas longtemps, mes yeux. Je vais
mettre bon ordre à cette comédie. Il ne suffit pas de me
taire : une bouche peut rester hermétique, mais pas toujours un visage. Ma décision est prise. Après l'avoir ru-
minée toute la nuit, je me la suis arrachée de haute lutte.
J'avais contre moi plusieurs Constance : l'amoureuse qui
gémissait, pathétique, laissant cogner avec ferveur ses palpitations; la scrupuleuse qui prétendait que mon renon-
cement (comme dirait Pascal) était surtout un abandon de
poste; la faraude qui jetterait volontiers sa belle agonie
à la tête des gens pour qu'ils se souviennent respectueuse-
ment d'elle, de son dernier hoquet.

J'ai eu raison de toutes les trois. Ni lamento, ni air
de bravoure, ni marche funèbre. Quoi qu'il m'en coûte
— et cela me coûte! — je dois disparaître, redevenir pour
chacun ce que j'étais au lendemain du saut en Marne :
une malade inconnue. Du reste, tout me pousse au silence.
Une voisine est passée dans la matinée; puis des cousins
de province, venus participer à une exposition horticole
et qui « ont profité de l'occasion » pour me voir. Enfin,
la concierge est montée pour se rendre compte de mon
état. Les uns et les autres, riches d'une encourageante
salive, braquaient sur moi des regards maladroits, significatifs. Mathilde elle-même en était gênée. Le prétexte
était trop beau : je n'avais qu'à sauter dessus.

— Ça va défiler longtemps? ai-je crié à Mathilde. Je ne dois pas être belle à voir, je m'en doute. Vous pensez tous : « Il vaudrait mieux qu'elle soit morte que de « traîner ainsi. » Je l'ai dit moi-même, jeune fille, au chevet de grand-mère. De la pitié, je t'en fiche! C'est de la peur. On dirait qu'une fille aussi diminuée menace les gens dans leur intégrité. Ils me crispent. Dis à tout le monde que je suis trop malade pour recevoir.

— Mais tes amis..., a balbutié Mathilde, stupéfaite.

— Sans exception!

*

Précaution insuffisante. On me sonne de tous les côtés. D'abord Pascal, qui m'annonce :

— Il faudrait que j'aille à Sète. On y consacre après-demain une de mes amies, une camarade de faculté, qui sera la première femme-pasteur de France. Au dernier moment elle m'a demandé d'être l'un des sept qui, selon notre rite, étendront le bras sur elle. Mais...

Mais, n'est-ce pas! Les paupières mi-closes, la tête écrasée sur l'écouteur, je me le représente ce bon Pascal, assis dans son fauteuil de rotin, comptant sur les doigts de la main gauche les jours qui me restent à vivre et sur ceux de la main droite les jours nécessaires pour effectuer ce voyage. Soyons brutale.

— Vous craignez que je ne trépasse avant votre retour? Allez, Pascal! Mon corbillard attendra.

Claude raccroche. Mais il va revenir trois fois. Mlle Calien, puis Catherine demandent des nouvelles. Elles camouflent leur inquiétude, elles ont toutes les deux un petit prétexte à la clé.

— A votre avis, puis-je poser pour Luc en nymphe? demande Catherine.

— Avez-vous des idées pour ma kermesse? dit sérieusement Mlle Calien.

Je leur donne ma bénédiction. Ça va, ça va. Pour le

reste, que leur jugeote en décide! Ce n'est pas, ce n'est
plus, ce n'a jamais été mon rayon. Mais la nymphe...
Tant pis si elle est nue! Mais la kermesse... Tant pis si
elle est mortellement ennuyeuse! Je voudrais faire semblant de dormir. Hélas! voici Serge, qui dispose, lui aussi,
d'une excellente raison de me déranger :

— Je file à Monaco pour l'installation du bar. Ne
t'étonne pas si tu ne me vois pas d'ici une huitaine...
Comment vas-tu?

Ils partent tous, décidément. Bravo! Ça simplifiera les
choses. Et si cette autre absence m'est plus sensible que
la première, cela prouve seulement que je suis encore
trop mal défendue.

*

Le soir tombe. Mathilde vient me faire avaler, à la
petite cuiller, le peu de purée liquide que je peux supporter. Brusquement, je lui propose :

— Abandonnons le téléphone. C'est cher, ça me fatigue
et je peux à peine m'en servir.

Ma tante hoche la tête, répète l'objection qu'elle m'a
faite le matin :

— Mais tes amis...

— Il vaut mieux qu'ils ne comptent plus trop sur moi.
Rappelle-toi ce que je t'ai dit. Je ne veux plus recevoir
personne.

— Compris, compris...

Claude, assis par terre, tient l'assiette. Une main sous
ma tête pour la relever, Mathilde enfourne de l'autre
les cuillerées de purée qui passent difficilement. La langue
ne suffit pas à les entraîner et mon menton, instinctivement, pointe en avant pour aider la déglutition. Pour
boire, je dois le relever tout à fait, laisser glisser l'infu-
sion à petites gorgées. C'est ce que Claude appelle « faire
la poule ».

— Et Luc? demande Mathilde, mal convaincue et qui

veut sans doute éprouver la solidité des consignes en les
soumettant à l'épreuve du détail.

J'ai failli riposter : « Luc comme les autres! » Mais
je me suis retenue, je réfléchis. Milandre est un cas particulier. Mathilde aura besoin de lui, bientôt, pour l'aider dans un tas de formalités. Enfin, ce doux ballot aime
une imbécile qui en aime un autre : il peut me servir
d'antidote. Laissons-lui la porte entrouverte.

— Evidemment, Luc n'est pas un ami. Il fait plutôt
partie de nos meubles.

— Et le père Roquault?

Geste d'impuissance. Il est difficile de l'empêcher de
traverser le palier, après avoir tout fait pour l'attirer ici.

— Et Serge? reprend Mathilde, enfournant la cuiller à
fond.

Surtout pas lui. La bouche pleine, je ne peux pas répondre tout de suite. Du reste, j'ai avalé de travers. Je
tousse. je me gratte la gorge, je me débats contre moi-
même. Je faiblis et toutes mes résolutions s'effondrent dans
une pitoyable réplique.

— Serge?... Il est absent. Pascal aussi, du reste.

L'amoureuse marque un point. Aussitôt la faraude relève la tête. Les voici liguées pour mettre mes bonnes
intentions en déroute. On leur impose silence? Soit! Elles
parleront après leur mort.

— Dis, tantine, veux-tu prendre ton bloc. J'ai un topo
à te dicter. Je voudrais expliquer...

XXXV

Mes amis, je me suis laissé entraîner. Je voulais d'abord
vous écrire une simple lettre. Voilà qu'elle est devenue
un récit, dicté par tranches, tantôt à Mathilde, tantôt au
père Roquault (plus spécialement chargé de recueillir les
passages susceptibles de ranimer trop cruellement les souvenirs de ma tante). L'un comme l'autre, d'ailleurs, ont
souvent protesté. « Tu es beaucoup trop gentille! » disait
le père Roquault. « Tu es dure et injuste! » assurait Mathilde. Fallait-il donc mentir pour pousser au noir ou
pour laisser de moi une hagiographie? J'ai bien failli
abandonner. D'abord à cause de mon souffle qui devient
rare; ensuite et surtout parce que je ne sais pas très
bien si je commets une mauvaise action ou si je vous
rends un dernier service. C'est pourquoi, par prudence,
je désire que vous ne lisiez pas ces lignes avant deux
ans. Dans deux ans, vous m'aurez presque tous oubliée
et vous aurez eu raison : la vie ne peut s'embarrasser
de la mort, les pommiers ont des droits sur les ifs. Il est
inutile de vous souvenir de moi, de mes béquilles et
même de cette curieuse affection, raide, mordante, que
vous avez fini par m'inspirer tous. Mais souvenez-vous de
vous-mêmes : chacun de nous est son propre repoussoir.

Rassurez-vous. Je ne fais pas, pompeuse, un testament
spirituel. Je ne vous laisse pas — de quel droit? — la
moindre consigne. Je ne vous laisse rien. Rien, sauf ce

que vous possédez. En somme je m'institue ma propre
légataire : je me lègue ce que vous serez.

*

Et voilà, je vais mourir. Ah! j'avais la vie dure! Il y a
des gens qui doivent mourir aux forceps, comme ils sont
nés. Mais cette fois, je n'en ai plus pour longtemps. Je
le sais, je suis contente de le savoir, je n'aurais pas voulu
mourir subitement. Il y a des gens qui le désirent parce
qu'ils ont peur de finir diminués ou de ne pas être prêts.
Moi, j'ai vécu diminuée, j'ai toujours été prête. Ma mort,
quoi! ce ne sera qu'une paralysie plus complète.

Mon regard erre à travers la cellule. Sur le mur, à l'endroit où aboutissait le branchement, la chaux est largement écaillée. Le monteur qui est venu enlever l'appareil était tellement impressionné, il a eu si peur en
travaillant près de moi de contracter on ne sait quel horrible mal qu'il n'a pas pris le temps de défaire les vis et
a tout arraché. Les yeux fermés, la bouche pincée, momie
vivante, je refusais de le voir faire, je ressentais la chose
comme une amputation. *Il n'y a plus d'abonné au numéro
que vous avez demandé*, doit chantonner maintenant la
voix automatique, gardienne du cimetière des lignes
mortes. Voyons plus loin... A terre, là, le long de la cloison, il y a le matelas que Mathilde a ramené de sa chambre
et sur lequel elle couche, toujours prête à bondir et ne
dormant guère. Au-dessus du matelas, sur le mur lisse, se
trouve le signe : simple éraflure symbolique parce qu'elle
est en forme d'S. Je n'ai pas la moindre photo de S. En
aurais-je une que je ne l'afficherais pour rien au monde :
nul n'a besoin de savoir et d'ailleurs ce signe me suffit.
J'ai toujours détesté les portraits, figés, faux, infidèles,
jamais actuels. toujours en retard sur la vérité d'un visage. Je peux me passer de la photo de Serge.

Sinon de lui. Ces derniers jours, je m'étais bien

reprise. Excessive comme toujours, je m'étais verrouillée : malgré leurs efforts, ni Catherine, ni Marie Calien n'ont réussi à franchir ma porte. Faveur réservée à Luc. Pascal, rentré de Sète, est venu trois fois et trois fois Mathilde, désolée, a été obligée de lui dire que « le médecin interdisait toute visite ». Mais, à sa quatrième tentative, je me suis rappelé que, moi aussi, j'étais retournée quatre fois rue des Pyrénées avant de « l'accrocher » et je l'ai accepté, pour une minute. Il avait d'étranges yeux d'or mouillé et ses lèvres minces frémissaient un peu :

— Voilà. C'est fait. Je pars dans huit jours pour la nouvelle mission qui s'installe sur les plateaux Bamiléké au Cameroun.

En traversant la cellule, il m'a crié, gaiement :

— Mon bagage sera bientôt fait!

Puis il a osé se pencher sur moi, il a osé me lisser les cheveux en murmurant avec une étonnante âpreté :

— Constance, Constance, pensez aussi à faire le vôtre!

Il s'est retiré sur ces mots et je me demande ce qu'il a voulu dire. Là où je vais, nul n'emmène rien. D'ailleurs je n'ai jamais rien eu à moi; j'ai horreur de posséder, car ce sont les choses qui nous possèdent. M'approprier, pour moi, ce fut donner ma forme (et mon bagage, aussi, est bientôt fait!). Mais sans doute s'agit-il d'un zèle apostolique : le missionnaire aimerait bien convertir, *in extremis*, sa première sauvagesse. Après tout peut-être lui accorderai-je cette illusion. Les médecins disent à ceux qui soignent les mourants : « Vous pouvez lui donner tout ce qu'il veut. Rien ne peut plus lui faire de mal... » Les mourants peuvent rendre la monnaie.

En tout cas, cette visite autorise celle des autres. Sinon, ils pourraient croire que j'ai voulu marquer une préférence, décerner à Pascal le prix d'application; ils ressentiraient cette faveur comme un blâme. Qu'ils viennent! Pour être franche, je suis infiniment lasse. Lasse de me contredire et de me combattre. J'ai honteusement envie de les voir. De le voir... Venez! •Vous ne risquez plus rien.

Quel danger maintenant peut représenter cette larve, écrasée sur son matelas d'eau et qui ne peut plus rien inspirer, sauf l'horreur et la pitié? Ce visage que je n'ose
plus regarder et qui se creuse de partout, ces cheveux
devenus plus ternes que le foin délavé, cette poitrine qui
grince comme un vieux soufflet, ce ventre qui attend la
sonde quotidienne, cette main qui a encore perdu un
doigt et n'est plus qu'un affreux moignon... Suis-je assez
effritée, assez pourrie pour être rassurante, dépouillée de
toute morgue, offerte en comparaison à votre force et à
votre santé! Mon orgueil, encore une fois, m'avait trompée. Ce que j'ai voulu, c'est m'épargner vos regards, éviter de vous donner en spectacle une infecte agonie qui
me diminuerait dans vos souvenirs. Venez. Viens... Venez,
voyez, je suis jolie! Toute petite. Toute plate. Et nullement affligée de l'être, si vous êtes là. Mon Dieu, comme
l'humilité nous vient avec l'amour!... Père Roquault, père
Roquault, ne faites pas cette tête-là. Ne reniflez pas, stupidement. Ecrivez, vieux scribe à douze doigts. Ecrivez.
Dites-leur encore... Non. Appelez Mathilde. Appelez Rénégault... J'étouffe, j'étouffe.

RÉCIT DU PÈRE ROQUAULT

XXXVI

Moi non plus, je ne sais pas si je commets une bonne ou mauvaise action. Ce texte qu'elle nous a dicté, Constance nous a plusieurs fois priés de le détruire, dans les derniers jours. « Déchirez, disait-elle, déchirez ce feuilleton. » Il est vrai qu'à d'autres moments elle voulait l'achever, « gratiner son macaroni » ou « laisser un petit mot gentil à chacun, en particulier ». Elle n'en a pas eu le temps ni le moyen. Etouffée peu à peu par la paralysie qui envahissait les organes respiratoires, elle n'avait plus la force de parler longtemps.

Après sa mort, sous prétexte de le relire, j'avais mis son récit en sécurité. Je l'ai gardé de longs mois. Puis je me suis décidé à le compléter. Peut-être ai-je été dupe du petit rôle que Constance m'avait donné : celui de scribe. Je ne crois pas qu'elle ait vraiment eu souci de sa mémoire et, si d'aventure elle y a pensé, elle se sera dit que cette fantaisie meublerait ma solitude, que de toute façon mon grand âge y mettrait vite un terme. Raison de plus, à mon sens, pour vous communiquer ces lignes.

Nous y sommes tous assez malmenés. Constance s'y révèle souvent injuste (et, cela encore, elle l'avoue elle-même). Elle n'y est jamais accablante. Mlle Mathilde, d'abord hostile à mon projet, chasse maintenant dans ses souvenirs pour y trouver, pour y monter en épingle les « nobles traits de caractère » de sa nièce... en oubliant volontiers ses traits d'humeur. J'ai dû me défendre pour éviter ce qui aurait plus que toute autre chose hérissé la disparue : un bel épilogue. Ne nous suffit-il pas de la retrouver ici, vivante, cette espèce d'héroïne en chambre, obscure et par là plus précieuse, puisque réservée à nous seuls? De la retrouver avec ses fredons, avec ses tics de langage : « Ça, c'est un détail » (devant une difficulté), ou : « Pas question de... » (pour bousculer une hésitation). Avec son goût de l'argot (où elle se réfugiait, comme toute cette génération, pour se défendre contre ses sentiments, pour les habiller d'un ton léger ou gouailleur). Avec ses attitudes de sportive cassée, de jeune-colonel-invalide. Avec ses naïvetés, ses rouéries désarmantes. Avec ses gravités, ses bravoures de collégienne grisée par un mélange de Corneille et de Saint-Exupéry. Avec cette rigueur qu'elle apportait en tout même dans l'extravagance. Je vous en parle en vieux pion, aigri, revêche, qui avait quelque cinquante ans de trop et qui ne l'a sans doute pas tout à fait comprise. Mais ce vieux pion increvable et qui, *hélas! en a tant vu mourir de jeunes filles* (je cite une de ses dernières plaisanteries forcées, à la limite du goût, comme les miennes), ce vieux pion, caressé par elle à rebrousse-poil, en gardera jusqu'à la fin le cuir attendri. La voilà, cette petite infirme sans moyens, sans expérience, dont on se demande : « D'où tirait-elle sa force et qui lui en avait tant appris? »

N'essayons pas de le savoir. Les vérités qu'on tire de ce genre d'exercice ressemblent aux constatations que les savants font sur la matière vivante, examinée *in vitro*. Chacun voit chez autrui ce qu'il veut y voir. Chacun voit avec ses yeux, avec *ses colorants*. Toutes les « considérations » étaient bien étrangères à Constance. Je crois que, femme, elle ne pensait guère et s'entortillait facilement

dans ses réflexions, vives, fragiles comme des serpentins.
C'était une spontanée. Un électricien dirait qu'elle avait
trouvé le moyen de vivre à très haute intensité une vie
sans potentiel. Il est juste de dire qu'elle avait un avantage : son infirmité même qui, depuis des années, l'avait
entraînée à l'indifférence envers sa « carcasse ». Elle n'était
plus pour elle-même qu'un aspect du décor, un sujet
comme les autres, moins intéressant que les autres. Elle
s'estimait; elle ne s'aimait pas. C'est une grâce d'état qui
simplifie tout.

Certes, je ne me cache pas ses défauts! Son injustice, que
j'ai déjà soulignée. Son imprudence, qui semblait ignorer
que « l'enthousiasme des purs tend un piège aux impurs ».
Son orgueil. Son opportunisme agressif. Sa manie de faire
irruption dans la vie des gens. Son goût secret de la domination. Sa méconnaissance absolue des nécessités (vice
sublime, mais bien gênant pour les familles!). Je n'ajoute
pas : sa dureté. Ce n'était qu'une apparence. Constance
n'était pas dure; elle était sèche. Sèche comme la noix de
coco capable de vous assommer quand elle vous tombe
dessus et qui pourtant est pleine de lait.

Tous ces défauts, sur la fin, avaient d'ailleurs molli.
Son regard faisait encore balle. Mais elle devenait moins
fofolle, moins pète-sec. Plus chaleureuse : surtout depuis
qu'elle aimait Serge. Sa tante, qui l'avait deviné, trouvait
ce sentiment indigne d'elle. Je pense au contraire qu'elle
s'y est achevée. Fêlée, la noix perdait son lait. J'ignore s'il
en est parmi nous que Constance n'ait jamais « remués ».
En tout cas, certainement pas le petit vieillard jaune,
toujours amateur de rosseries et de médisances, toujours
détestable, mais qui lui voue un souvenir tenace et s'en
va une fois par mois, furtif, sarcler une tombe qu'elle a
désirée nue, sans inscription, sans croix, au cimetière du
Chemin-Vert.

*

J'ai respecté le délai de deux ans, moins par scrupule que par curiosité, pour voir ce qu'il adviendrait de chacun. Bien entendu, la S. S. M. n'a pas tenu. Berthe Alanec et son mari (le second enfant n'a pas vécu) sont partis en Bretagne tenir l'épicerie coopérative d'un village perdu. Ils n'ont pas repris Claude, resté à la charge de Mlle Mathilde qui me confie quelquefois le clampin, un peu plus grand, mais toujours incapable de marcher, quand elle va faire ses courses. Catherine a deux filles. On lui prête quelques écarts discrets. Pourtant elle se nourrit de petits fours et de préjugés, commence à dauber sur les frasques des autres, à moraliser. Voilà ce que Constance lui aurait sans doute le moins pardonné. Mais elle dirait aussi sans doute : « On a l'avancement qu'on mérite. » Serge, son mari, a eu de gros ennuis. Trois mois après son mariage, il était en prison, compromis dans une affaire de devises. Et voyez comme il faut être prudent dans ses jugements! Catherine (qui le lui reprochera sans cesse) l'a défendu avec acharnement, l'a tiré de la Santé... en séduisant, dit-on, le juge d'instruction (je ne crois pas que Constance l'en eût blâmée). Depuis, Serge « se tient à carreau ». Il grimpe très rarement nos trois étages, reste une minute et file, oubliant discrètement une enveloppe. Luc, qu'il exploitait, n'est plus son employé; mais il est devenu un céramiste assez estimé et demeure un fidèle des mansardes Orglaise. Il y passe ses samedis, sans jamais entrer dans la cellule blanche. Il ne s'est pas marié et l'imprudence — la dernière, la plus belle imprudence de Constance — risque de l'en détourner longtemps. Mlle Calien a été nommée à Lyon, sa ville natale. De Pascal parvient une carte par an, à Noël...

En somme, il semble que nous soyons restés les mêmes. Mais qu'en savons-nous? On ne juge pas sur l'apparence.

Moi qui vous parle, ratatiné dans mes habitudes — à mon âge on n'en change plus, — ratatiné dans ma peau comme un abricot sec, je ne me sens plus si creux, je me sens comme un noyau. C'est pourquoi, s'il en était besoin, je serais bien embarrassé de conclure, de tirer la morale de cette histoire, si tant est qu'on puisse tirer une morale de quoi que ce soit. Constance ne l'a pas fait. Je ne le ferai pas. Je l'entends encore dire de sa voix claire, en haussant son épaule valide : « Je ne vois pas la vie en beau. En mieux, oui. Et encore... »

Mais laissez-moi raconter sa fin.

XXXVII

MARDI. Après s'être penché pendant une heure sur Constance, fiévreuse, frissonnante, couronnée de migraines et dont le ventre douloureux ne livrait plus à la sonde qu'un liquide purulent, Rénégault s'était relevé en claironnant :

— Increvable, décidément! Et nous avons évité l'escarre.

Mais derrière la porte, là où il avait l'habitude d'être sincère, il eut ce geste, cet orémus las suivi de la chute des mains le long des cuisses, qu'il répète depuis des années dans les cas désespérés.

— Ce que je craignais, nous dit-il. L'infection. Elle ne passera pas la semaine.

Mlle Mathilde ne cilla même pas. Elle et moi (je ne quittais plus guère les Orglaise; j'étais devenu coursier et bonne d'enfant), nous nous y attendions. Ses gros doigts froissèrent seulement l'étoffe de son corsage, là où naguère était le sautoir. Puis elle murmura ces mots inattendus :

— Faut-il lui dire?

— Cette idée! Bien sûr que non! protesta Rénégault.

Puis il se ravisa :

— Avec elle, en effet... Enfin, ça vous regarde!

*

Ni la tante ni moi n'eûmes le courage d'avertir celle
« qui ne devait pas passer la semaine ». Elle nous avait
dit souvent : « Prévenez-moi. Je voudrais mourir en
sachant que je meure. Ça me suffit bien d'être née sans
le savoir. » Mais ces sortes de souhaits ne semblent
jamais sincères. Luc, arrivé sur le coup de midi, ne fut
même pas informé. Constance dormait. Il s'installa près
de la fenêtre et se mit à dessiner. Mlle Mathilde dut se
mettre au travail. Je tâchai d'occuper Claude. Je lui fis
gagner, coup sur coup, trois parties de dames-bonbons,
jeu auquel il ne comprenait d'ailleurs rien et qui consis-
tait pour lui à croquer mes caramels.

Vers deux heures, le bruit de sa respiration m'apprit
que la malade se réveillait. A pas de loup, je me dirigeai
vers son lit. Ses yeux étaient déjà ouverts et remuaient,
vifs, brillants, comme si Constance, en eux résumée, cherchait à les occuper. Ils aperçurent Claude qui se traînait
sur mes talons, le happèrent. Claude comprit le reproche
muet, put s'accrocher à une chaise et s'éloigna, la poussant devant lui. Rentré dans la salle commune, il la
lâcha, se mit à ramper bien que le regard de Mathilde
l'encourageât aussi. Mais si forte, si massive, si vivante
qu'elle fût, elle n'avait pas la manière.

Constance, maintenant, sans aménité, regardait Luc qui
dessinait toujours, un crayon à la main, un autre sur
l'oreille, deux dans la bouche. Elle trouva de la voix
pour railler :

— Quelle collection de reliques! Constance à seize ans,
Constance à dix-huit ans, Constance en maillot de bain,
en short, en tenue de ville, avec sa canne, sur ses béquilles,
dans son fauteuil roulant... Il te manque encore :
Constance sur son lit de mort.

— Tiens! t'es là, toi! fit Luc, drôlement.

Puis il retourna son carton, où j'aperçus un pigeon
pensif qui rentrait le bec dans un jabot mordoré.

— Je ne perds pas de temps, expliqua-t-il. Serge m'a
donné campo. Comme je t'ai trouvée en train de rou-
piller, je m'avançais. Je bosse dans la volaille maintenant.
On va décorer le hall du Club des Colombophiles. Du
pigeon partout, perché, au nid, roucoulant, fendant la
bise, bouffant son petit maïs ou chiant son petit guano...

Cette ironie facile était une façon d'avouer qu'il ne se
sentait pas très sûr de lui. Cependant, il n'ajouta pas sa
phrase habituelle : « Tu parles d'un boulot pour un
artiste! » Du reste, Constance n'eût certainement pas
répondu : « Tu parles d'un artiste! » Je me flatte d'avoir
quelquefois réussi à réformer son jugement. Je le lui
avais dit un jour, entre deux parties : « Avec ce garçon-là,
tu t'es trompée de méthode. Il y a des gens que la critique électrise et qui se dépêchent de valoir quelque
chose pour lui faire la nique. Il y en a d'autres qu'elle
persuade de leur médiocrité. Ceux-là — dont Luc — ont
besoin de compliments anticipés parce qu'ils sont
conformes à ce que l'on dit d'eux, à la confiance qu'on
leur prête. » Aussi ne fus-je pas étonné de l'entendre
répondre :

— Tu as eu là une idée du tonnerre! Qu'en pensez-vous,
monsieur Roch?

Elle me jetait un coup d'œil complice. Luc rougit de
plaisir, lâcha ses crayons, vint s'asseoir au bord du lit.
Effrayé par le clapotis du matelas d'eau, il se releva,
s'installa par terre, en tailleur. L'assurance des écoliers,
nantis de leur première croix d'honneur, lui donnait de
l'importance. Pendant un bon quart d'heure, il nous parla
de la céramique, des rapports de la céramique avec la
peinture, de ses projets capables de révolutionner les arts
du feu. Puis soudain, sur le même ton, presque protec-
teur, il lança ce coq-à-l'âne :

— A propos, je parie que tu ignores que le mariage de
Serge et Catherine est fixé au 15 novembre. Cette bonne
noix de Nouy! Il fera un superbe cocu... Parce que, tu
sais, la Catherine, c'est une bonne fille, mais elle s'en
ressent!

Le balourd! Inquiet, j'observai Constance à la dérobée.
Elle n'avait pas sourcillé. Son visage avait seulement une
expression sévère.

— Tu te répètes, souffla-t-elle.

Sa voix, se frayant un passage à travers sa gorge, redevint presque aussi ferme que jadis pour déclarer :

— Si Nouy est cocu, tant pis! Il en a trompé d'autres.
Ça lui fera du bien. Les cocus sont souvent brillants,
leurs réussites leur servent de revanches... D'ailleurs, Nouy
et Catherine se valent. Tu serais bien fort si tu pouvais
me dire lequel des deux est indigne de l'autre!

Ses paupières tombèrent. Elle ajouta plus bas, pour
elle-même :

— Quel est d'ailleurs l'être vraiment indigne d'un
autre être?... Ou vraiment digne de lui?

Ce ton me gênait. Quelle déception si, sur sa fin, cette
fille pleine d'alacrité allait sombrer dans l'emphase! Un
petit pli, un rien, une imperceptible ironie tirant sur la
commissure des lèvres pâles me rassura. La hargne de
Luc, à l'égard du couple Serge-Catherine, lui donnait-elle
à penser? Que mijotait-elle? Luc enchaînait, grâce à un
nouveau coq-à-l'âne :

— A propos, les copains ne comprennent pas que tu
ne veuilles plus les recevoir. Si malade que tu sois, tu
peux leur donner un quart d'heure. Tu les laisses vache-
ment tomber.

Le sourire de Constance devint plus net : la conversation prenait sans doute un tour favorable à de secrets
desseins. Il s'épanouit tout à fait quand Milandre eut
ajouté :

— Et pourquoi cette exception en ma faveur?

— Toi, tu es Luc! dit-elle aussitôt.

Quelle ferveur inattendue dans ces quatre mots! Est-ce
que?... Un nouveau regard m'avertit : « Allez-vous-en,
voyons, père Roquault! » Je me soulevai en criant :
« Allons, Claude, une dernière partie de dames? » et je
regagnai le capharnaüm, bien décidé à profiter de la
porte ouverte. Rater cette scène, pensez donc! J'avais

compris. Inspiration Frasquette : un petit mensonge bien
placé peut avoir de bonnes conséquences (je pense bien!
Il peut aussi en avoir d'autres, qu'on ne prévoit pas!).

Milandre, lui, hésitait à comprendre. Ses yeux s'écar-
quillaient. Des yeux de chouette éblouie. Jamais il n'avait
mieux mérité son surnom. Il balbutiait :

— Je suis Luc, je suis Luc... Qu'est-ce que tu dis?
Qu'est-ce que tu veux dire?

Je pestais, car il venait de se mettre sur les genoux et
sa tête masquait celle de Constance, m'interdisant de surprendre l'expression — certainement curieuse — de son
visage. Je n'entendis pas non plus la réponse, prononcée
trop bas. Mais, averti par son instinct ou par la qualité
anormale du silence, Mlle Mathilde se retourna sur son
tabouret de travail, aperçut Milandre penché sur sa nièce
et qui lui chuchotait des choses.

— Que fabriquent-ils donc? murmura-t-elle.

— Chut! Duo! fis-je, un doigt sur la lèvre.

— Oh! dit-elle, et son visage exprima tour à tour l'étonnement, l'admiration et la contrariété.

Elle détourna les yeux, se rejeta sur son Underwood,
se mit à taper très fort, à toute vitesse. Impossible de
rien entendre, sauf des bribes de phrase, quand le chariot de la machine retournait à la ligne avec un léger
bruit de roue libre : *Je n'avais pas le droit... Dans mon
état...* Protestation étouffée : *Tu me dis ça, maintenant...*
Enfin une sorte de gémissement rageur. La tête de Luc se
penchait de plus en plus. Je me demandais : « Iras-tu
jusqu'au bout? Un baiser ne tire pas à conséquence,
quand on ne doit pas passer la semaine. Donne-le-lui par
procuration, ma fille. Serge le rendra bientôt à Catherine
et tout sera parfait dans le meilleur des mondes. »

Luc se souleva. Le matelas d'eau fit floc. Irrité, incapable de savoir quels étaient mes véritables sentiments,
je repoussai doucement la porte, du bout du pied, au
moment où la bouche de Constance accepta de subir celle
de Luc, dont chacun sait qu'elle a mauvaise haleine,
qu'elle empeste l'ail, le tabac et la peinture.

XXXVIII

VENDREDI. Nous étions sur le qui-vive.

Sur un léger coup de sonnette, j'allai ouvrir la porte avec discrétion. Pascal, tout de noir habillé, très clergyman, mit sa main sèche dans la mienne.

— Comment va-t-elle?

— De plus en plus mal.

— Mlle Mathilde n'est pas là?

— Elle est chez le pharmacien... pour changer!

A pas feutrés, le pasteur traversa le capharnaüm où depuis deux jours chômaient les machines assises sur leur carré de feutre vert. Leurs housses noires se couvraient de poussière. Claude, assis par terre, jouait à l'infirmier avec des fioles vides aux étiquettes multicolores. D'autres flacons, à moitié remplis, traînaient un peu partout à côté de piles de papier, d'assiettes sales, de jouets écaillés, de bouquets de fleurs hâtivement glissés dans un vase ébréché, dans un vieux pot à eau. Leurs parfums mornes se mélangeaient à des relents d'éther, de sueur malade et montaient, épais comme une vapeur, à l'assaut de la glace. Pascal s'entortilla les pieds dans le cordon électrique qui venait chercher dans la pièce le courant destiné au radiateur volant qui surchauffait la cellule.

— Eh bien! Eh bien! fit Constance, riant d'un rire pénible, qui tenait du rot et du gargarisme.

Pascal la regarda, effrayé. Elle avait terriblement changé.

Le visage se creusait par endroits, se boursouflait ailleurs. Les traits se figeaient. Les yeux saillaient, émaux blancs, enchâssés dans de profondes orbites couleur de colchique fanée; ils étaient un peu égarés. Luttant contre la dyspnée, la bouche entrouverte aspirait l'air, en produisant ce bruit d'arrière-gorge de l'inhalation. Pascal avança une main, toucha un front brûlant.

— J' pique mon quarante... seyez-vous là.

La voix était mince, rapide, rongeait quelques mots.

— Je viens vous dire au revoir, murmura Pascal qui osait à peine bouger. Je prends le bateau demain soir, à Marseille. Je ne pensais pas partir avant...

Il n'eut pas le temps de rattraper sa gaffe.

— Adieu, pas au revoir! disait Constance... N'assisterez pas à mon enterrement. Raté de justesse. Alors, Josué part pour la Terre promise?

— Oui, reprit Pascal, et, soudain sérieux, se jetant sur l'occasion, il ajouta brutalement : Vous aussi, du reste.

Je vis nettement se contracter les muscles de sa mâchoire. Au même instant, Constance me lança un bref regard identique à celui qu'elle m'avait lancé deux jours auparavant, au début de son entretien avec Luc. « Allons, me dis-je. Ça va recommencer. Elle n'a pas dicté tout ce qu'elle voulait. Elle les fait oralement, ses legs particuliers. Mais, cette fois, c'est Pascal qui vient réclamer le sien. » Derrière ses lunettes, les yeux de Bellorget luisaient de convoitise. Ses maxillaires jouaient de plus belle sous la peau des joues. Constance demanda, malicieuse :

— C'est le pasteur qui est venu ce soir? Ou Pascal?

— Ils ne font plus qu'un, grâce à vous.

— Je vous laisse, je vous laisse, fis-je précipitamment.

— Non, non, protesta Constance... Je n'ai de secrets pour personne.

Retouche au précédent programme : il fallait un témoin afin que Pascal fût plus certain de son succès. Je reculai doucement jusqu'à la fenêtre.

*

Constance avait couché la tête sur le côté gauche. Ses prunelles bleues brûlaient comme une flamme de gaz bien réglée. Pascal, à cheval sur sa chaise, accoudé au dossier, prêchait déjà.

— Vous êtes forte, Constance, vous pouvez tout entendre... Vous savez que nous ne nous reverrons jamais. Mais savez-vous que je me suis longtemps méfié de vous? Je me disais : cette petite fille joue au cœur vaillant et va proposant des *sursum corda* comme d'autres proposent des timbres antituberculeux. Puis j'ai compris que vous apportiez le message d'un Autre, dont vous étiez l'interprète inconsciente.

— Vous êtes trop bon! dit Constance, mi-figue, mi-raisin.

— Je voudrais vous rembourser, reprit Bellorget, imperturbable. Vous vous êtes plainte une fois devant moi de ce que l'histoire de votre vie fût surtout l'histoire de votre mort. Nous en sommes tous là : nous vivons, nous gâchons le possible qui nous était dévolu. Vous l'avez si bien compris que vous avez voulu sauver, faute de mieux, celui de quelques-uns... Mais n'êtes-vous pas en train d'oublier une partie du vôtre? Finir et mourir ne sont pas synonymes. On peut agir sur sa mort comme on agit sur sa vie. Un mot suffit! Contrairement à tout ce qui passe durant la vie, où il faut dire non à tout ce qui nous diminue, là il faut dire oui à ce qui nous anéantit.

Comme il était maladroit! N'avait-il pas eu le temps de trouver le bon ressort? Constance renfonça la tête dans l'oreiller.

— La résignation! dit-elle avec dégoût.

— Non, l'acceptation. Les héros ne sont pas les seuls êtres capables du sacrifice de leur vie. Comme vous l'avez

fait jusqu'ici, agissez par personne interposée. Donnez procuration à Dieu.

— Mais je ne crois pas en lui! gémit Constance, rete-
nant son maigre souffle, visiblement écartelée entre sa
sincérité et l'envie de satisfaire le « client ».

Pascal eut un geste large : presque celui du pêcheur
qui a mal ferré et relance sa ligne, garnie d'une nouvelle
esche.

— Lui croit en vous, puisque vous êtes, répliqua-t-il
à tout hasard. (Mieux, Pascal! Voyez : elle a tressailli.)
Et vous, vous croyez ne pas croire en Dieu. Votre fierté
vous le masque, parce que vous avez vécu cette vertu
comme un vice, parce que vous l'avez centrée sur vous.
Si quelque chose m'effare, depuis que je vous connais,
c'est que vous ne soyez pas folle de Dieu. Vous n'aimez
que la création... Il n'est que cela. Associez-vous! Vous
préférez le subir? Un mot et vous ne le subissez plus!
Ah! Constance, que la foi ait une telle force, qu'elle nous
rende toute l'action dans un dernier acte, si facile... voilà
le miracle!

— Je n'en ai pas l'initiative, fit une petite voix butée.

— Ah! cet orgueil! cria Pascal, excédé.

Un chaland lâcha sa sirène, au loin. Puis un bruit
de clé annonça le retour de Mathilde, qui vint dire bonjour avant d'aller s'enfermer dans la cusine. Quand elle
fut repartie, un long silence s'établit, dense comme
l'ombre qui envahissait peu à peu la cellule. Le carillon
du voisin du dessous sonna sept coups.

— Il faut croire, dit enfin Constance, qu'envers moi la
politique de Dieu vise à l'économie du miracle.

— Pour vous le permettre, à vous...

Pascal repartit en avant, se rabâcha... Mathilde venait
d'allumer dans le capharnaüm et un cône de lumière,
passant par la porte entrouverte, projetait sur Constance
l'ombre du pasteur. Elle l'écoutait, froide, mais atten-
tive, sans doute intéressée par cet acharnement, songeant
que sa propre offensive revenait l'envahir. Cependant les
mots devaient lui battre les tympans comme la fièvre lui

battait les tempes, en pure perte. Et ses paupières s'alour-
dissaient tandis que peu à peu fléchissait cette rage de
l'apôtre-maison qui finit par murmurer, découragé :

— Mon Dieu, c'est moi qu'elle écoute. Ce n'est pas
Vous.

Alors Constance trouva une formule heureuse :

— Ne vous lassez pas de moi, tous les deux.

Pascal se redressa. Son ombre s'allongea jusqu'au mur.

— Comment me lasserai-je de vous, mon amie, qui ne
vous êtes lassée de personne?

— En vous lassant de vous-même...

Pascal hocha la tête, sentant bien ce que la réplique
avait de spécieux. Constance se dérobait. Opportune, une
crise d'oppression l'interrompit. Elle suffoqua pendant
quelques minutes, aspirant et rejetant l'air par bouffées
rauques. Enfin, elle put reprendre à voix basse :

— Parlons plutôt de vous, Pascal. Où allez-vous exactement? Ce qui m'intéresse, c'est de savoir si vous allez
réussir votre vie.

Et soudain Pascal fut debout, plus haut que son ombre,
la tête au milieu du cône de lumière. Une de ses mains
s'éleva à la hauteur de sa tempe et, violemment éclairée
par-derrière, dessina sur le mur une sorte de crabe, une
bête crispée. Spectaculaire, la repartie lui sautait de la
gorge :

— Comment la réussirais-je, si vous êtes mon premier
échec?

Cette fois, enfin, il faisait mouche. Nul argument ne
pouvait mieux toucher Constance, dont la tête s'enfonçait
au plus creux de l'oreiller. Poussant son avantage, Pascal
se baissa vers ce visage dont il venait de chasser toute
ironie, tout sourire. « Un geste, assura-t-il, je ne vous
demande qu'un geste. Vous avez eu la manie du geste.
Celui-là, nul ne vous le reprochera. » Avec la même brus-
querie, il arrachait le drap, les couvertures, les rejetait de
biais, saisissait un bras décharné, happait le poignet, sec
comme un crayon et que terminait une main mutilée,
affreuse à voir. Pourtant cette main, qui n'avait plus que

deux doigts, ne sembla pas l'effrayer (le symbole dut lui
paraître plus beau), et de vive force il la porta au front
de Constance, la redescendit vers la poitrine, la ramena
sur l'épaule gauche et de là sur l'épaule droite, où il
l'abandonna. Les lèvres de Constance bougèrent, mais il
n'en sortit aucun son. Pascal se releva lentement, étonné,
effrayé de sa violence, se demandant peut-être (comme
moi) s'il était sublime ou ridicule. La respiration de
Constance raclait le silence, martyrisait ses bronches.
Enfin ses lèvres bougèrent de nouveau...

— Allez-vous-en, maintenant, chuchota-t-elle.

Comme il s'écartait un peu, la lumière tomba sur le
visage hostile, ravagé, tendu vers lui dans l'obscurité et
qui n'eut pas le temps de se recomposer, de se désavouer.
Les yeux bleus devinrent durs, secs comme du vitriol.

— Allez-vous-en! Allez-vous-en! répéta-t-elle plus fort.

Les traits se crispèrent, se tordirent, devinrent hagards.
Tandis que Pascal reculait, cassé par des courbettes, débitant des politesses, elle se mit à crier :

— Allez-vous-en! Au Cameroun! Au Cameroun!...

Pascal s'enfuit.

*

Je le rattrapai sur le palier. Il grelottait, il essuyait fébri-
lement les verres de ses lunettes.

— Elle n'a plus toute sa tête à elle, fis-je, très bas.

— Sans doute! répondit-il sèchement.

Il empoignait la rampe, avançait le pied. A la première
marche, il s'arrêta :

— Voyez-vous, dit-il d'une voix blanche, je n'ai plus
d'illusion. Elle meurt comme elle a vécu : sans Dieu.
Pourtant on peut dire d'elle ce que dit Claudel de je ne
sais plus quel héros brésilien : « Religion mise à part,
c'était une figure évangélique. »

Il semblait si désorienté que je n'eus pas le courage de
répliquer : « Justement! Voilà bien pour vous le pire

scandale : ces gens-là vous rendent inutile. » Je le laissai
marmonner une formule classique, pour se consoler :

— Je sais bien qu'il y a des grâces foudroyantes pour
dessiller, au moment même où ils se ferment, les yeux qui
ont mérité la lumière.

Mais cela ne lui suffisait pas. Il s'animait. Cet homme
posé me saisit par un bouton de ma veste, me souffla dans
le nez avec exaltation :

— Je me rembourserai au Cameroun. Vous verrez
comme je me rembourserai!

Il se jeta dans l'escalier et je regardai sa main glisser
rapidement sur les trois spires de la rampe, en songeant :
« La petite a-t-elle gagné sans le savoir? Ou, prévoyant
cette explosion. s'est-elle dérobée pour le rendre affamé
de revanche? » Une fois rentré dans la cellule, je retrouvai
Constance très calme.

— Je n'ai pas pu, dit-elle faiblement.

Puis, sans transition. elle ajouta :

— Serge rentre demain soir, n'est-ce pas?... Dire qu'il
va falloir aussi lui mentir?

XXXIX

DIMANCHE. Constance baissait de plus en plus. Sur la foi de Rénégault — qui avait assuré qu'elle ne passerait pas la semaine — nous pensions qu'elle ne passerait pas la journée. L'agonie avait commencé dans la nuit. Un fil de souffle s'étirait, s'enrayait, repartait, s'étirait encore à travers la filière bouchée de la gorge. On entendait du palier cet odieux sifflement. La concierge et la voisine du dessous s'étaient installées dans le capharnaüm. Elles tricotaient en échangeant à voix basse de menus souvenirs mortuaires. « Sidonie Lagloire, vous savez, la veuve de l'épicier, elle a duré comme ça pendant trois grands jours. » Elles tendaient l'oreille et brandissaient des aiguilles frémissantes — sans oublier pourtant le compte de leurs mailles — dès que la respiration de la mourante marquait un temps d'arrêt. Puis sitôt qu'elle reprenait, avec un bruit de ventouse, elle piquaient du nez, se penchaient l'une vers l'autre et tricotaient tout un rang, mécaniquement. Mlle Mathilde était au pied du lit, dans la cellule. Epuisée par plusieurs nuits de veille, elle attendait, silencieuse, assise de biais, ne manifestant son angoisse que par les battements insolites de cette paupière rêche où le kyste tremblait comme une baie rouge au coin d'une feuille de houx. En plein dans le champ du radiateur qui maintenait une température de serre, elle mijotait dans sa graisse et ses pommettes mauves se vei-

nulaient de carmin. Assis, près de la fenêtre, depuis le
petit jour, je ne lui avais pas adressé quatre mots. Mes
mains se malaxaient lentement. Nous observions tous deux
à la dérobée le nez mince, qui déjà tranchait l'air, le
menton qui se dessoudait et ces yeux globuleux, pleins
d'une sorte d'huile brillante, qui semblaient s'étaler de
cerne en cerne sur un masque de carton jaune. A certains moments, Constance ne remuait plus la tête, qui
demeurait immobile sous des cheveux coagulés par une
sueur aigre. Prostrée, elle ne parlait que par monosyl-
labes en aspirant ses mots. C'est ainsi qu'elle avait dit
vers six heures :

— C'est long.

Peu après, comme s'il s'agissait d'édifier sur son courage les honorables témoins d'un hara-kiri, elle avait cru
nécessaire d'ajouter :

— Je tiens.

Mais presque toutes les demi-heures survenait une crise
de suffocation, à l'issue de laquelle sa tête se mettait à
rouler sur l'oreiller. Elle criait, moitié lucide, moitié déli-
rante, dévorée jusqu'à la fin par cet orgueil qu'elle ne
contrôlait plus et les mots, tronqués, se précipitaient hors
de sa bouche qu'on eût crue pleine de sable.

— Je veux être incinérée, père Roquault, criait-elle.
Je ne veux pas rester allongée pendant des siècles au
fond d'une boîte de sapin. La vie m'a bien suffi. Je veux
être gaz, mon cher... Après tout, non, tante, fais-moi
enterrer comme tout le monde. Dis seulement au Seigneur que, pour la résurrection des corps, zéro! Je ne
veux plus de celui-là.

Mathilde rougissait, pâlissait, lui mettait ses mains
froides sur le front, pour la calmer. Je me recroquevillais
dans mon coin, très inquiet, songeant que j'avais téléphoné à Serge, rentré la veille du Midi, et que, dans l'état
de Constance, sa visite pouvait provoquer une scène
abominable.

*

Elle ne se produisit pas. Poussant la porte laissée
entrouverte pour éviter toute sonnerie, Serge arriva soudain, essoufflé, large et carré, balayant l'air de son grand
manteau beige. Je le vis retourner un mufle mal rasé
et jeter un bonjour hâtif aux deux tricoteuses dont les
visages aigus suaient la curiosité. Il traversa vivement le
capharnaüm, les mains en avant, comme s'il voulait
écarter cette odeur de pharmacie qui est le premier encens
des cadavres, avant celui du catafalque. Il s'arrêta court,
à trois mètres du lit de fer. Constance, surexcitée, recommençait à crier :

— Prends ton bloc, Mathilde. Je vais dicter... Il faut
annoncer ma mort à tout le monde. J'entends d'ici
Thiroine : « Cette pauvre andouille a voulu rédiger elle-
« même son faire-part... »

Mais, apercevant Serge, elle aussi s'arrêta court, parvint
à soulever la tête de quelques centimètres. Nouy, impressionné, regardait ces yeux fous aux cernes presque noirs
et cette bouche ouverte, aux lèvres desséchées, bleuies,
fendillées, creusant dans le visage un trou plus noir encore.
Il fit un effort pour dire :

— Salut, ma vieille!

Constance grimaça, essayant visiblement de défiger ses
traits, de leur imposer un sourire qui plaça une fleur
pauvre au coin de la bouche.

— Salut... mon... vieux!

La fleur s'épanouit, s'étala jusqu'à l'autre coin de la
lèvre, persista une seconde, se fana. « Ça va? » disait sottement le pauvre Serge. Les paupières de Constance battirent
très vite, comme si elles voulaient donner, du bout des cils,
ce que les enfants appellent un baiser-papillon. Ce fut
tout ce que put s'imposer sa lucidité défaillante. Comme
Serge se penchait, elle lui décocha :

— Je l'avais prédit. mon ours! On t'a eu pour un rayon de miel. Mais il n'est pas de mon rucher.

A cent lieues de se douter du sens de ces paroles, Serge se releva en grommelant. navré :

— Elle déraille!

Constance laissa retomber sa tête d'un seul coup sur l'oreiller et, dès lors. n'ouvrit plus la bouche.

*

Bientôt, tout le monde sembla s'être donné rendez-vous à son chevet. Il est vrai que c'était dimanche. Luc survint. immédiatement suivi par Mlle Calien qui retournait ses gants. relevait sa voilette. L'un et l'autre allèrent courber l'échine au-dessus de Constance et débiter de pénibles encouragements qui n'eurent point d'écho. Puis Luc s'empara d'une chaise pour s'installer à la tête du lit. en propriétaire qui surveille son bien. Il n'en bougea plus. Il avait tiré son mouchoir. qui n'était pas très propre. et tamponnait le front de Constance. De temps en temps. il jetait un coup d'œil à Serge. immobile le long de la cloison. dont la chaux blanchissait son veston, et ce coup d'œil était nettement hostile. « Dors. ma Constance ». répétait-il sans souci du ridicule. sans voir l'imperceptible ironie. l'onde fugitive qui chaque fois passait sur le visage de carton.

Un peu plus tard. Catherine arriva. se faufila entre nous. souple et dansante. dodelinant de la tête. distribuant du bout de son bec rouge des bonjours de mésange apeurée. Constance ne lui répondit pas. ne sembla pas la reconnaître. Ses yeux regardaient ailleurs. dans le vide. Elle n'accorda pas plus d'attention à une ancienne copine du club des Ondines ni à Berthe Alanec. poussant son ventre énorme.

Enfin surgit Rénégault. agressivement barbu. travaillant des mandibules. et dont la vue nous chassa de la cellule.

du reste devenue trop petite pour nous contenir tous. A l'exception de Mathilde, nous dûmes refluer vers la salle commune, lents et raides. Dix minutes passèrent. Puis la concierge s'agita : la langue lui croupissait dans la bouche.

— En définitive, c'est Bidault qui compose le nouveau ministère, chuchota-t-elle à titre d'essai.

Elle se tut, fusillée par huit paires d'yeux. Mais l'autre tricoteuse prit le relais, amorça un éloge funèbre, en conjuguant bravement l'imparfait.

— C'était une sacrée fille... Un peu braque, bien sûr, mais tout ce qu'il y a de serviable.

— La pauvre petite! Elle s'occupait même de n'importe qui! assura la concierge en me jetant un aimable coup d'œil.

Suivirent des propos tièdes prononcés entre deux voix et qui faisaient osciller des chignons convaincus. Catherine continuait à dodeliner de la tête, écoutait de l'oreille droite, puis de l'oreille gauche, ployait et déployait des bras sinueux, des jambes lisses dont les escarpins talonnaient le plancher. Serge faisait sauter son briquet dans sa paume. Luc figeait une tête de condamné qu'on retire du panier, criblée de son. Mlle Calien s'isolait derrière sa voilette, rétrécissait les paupières. Enfin, agacée par l'onctuosité des commères, elle décida brusquement de remonter le niveau du panégyrique et dit, en pinçant sa bouche mince frottée de pommade rosat :

— C'est un être rare qui s'en va. Je me demande si nous le sentons bien tous.

Déjà les grosses lèvres de la concierge avançaient un grave cul-de-poule pour de graves commentaires. L'intervention de Serge nous en préserva :

— Quel chœur de pleureuses! Ce n'est pourtant pas le genre de la maison.

Au même instant la porte s'ouvrit, dans son dos. Rénégault poussa lentement le battant contre la cloison et s'effaça pour nous laisser passer. Une de ses mains fichait ses cinq doigts dans sa barbe. L'autre esquissait un geste d'impuissance.

— C'est la fin? demanda Serge.
— Je lui ai fait une piqûre, répondit le Bouc, évasif.

*

Nous nous étions avancés sur la pointe des pieds. Nous restions plantés là, en demi-cercle, autour du lit. Nous n'osions plus rien dire. Constance luttait encore, sans doute soutenue par sa piqûre. Sa poitrine se soulevait par ressauts, avec un bruit d'anche brisée, de soufflet crevé, restait un moment bloquée, puis redescendait, s'effondrait, côte par côte, secouée comme une nef qui perdrait ses arcs-boutants. Impossible de savoir si elle était consciente ou non. Toutefois, ses yeux viraient lentement dans leurs orbites. Ils passèrent presque sans arrêter sur Luc, sur Catherine, sur moi, sur Mlle Calien. Ils s'attardèrent sur Claude, qui se traînait par terre; sur Serge, qui se tenait en retrait dans son attitude favorite, un œil fermé, l'autre ouvert, forant son trou de ver dans la pomme; sur sa tante, toujours assise au bord du lit, massive et molle, ses trois mentons écrasant sa poitrine qui écrasait le ventre. Nous étions tous persuadés que Constance allait d'une minute à l'autre mourir devant nous, laisser glisser sa tête sur le côté (comme au cinéma) en rendant le classique dernier soupir. Certains — Luc, par exemple — devaient attendre les dernières paroles, pour les enregistrer pieusement. Pour ma part, volontiers sacrilège — ou l'aimant plus simplette, plus vraie, — je me disais : « Trop beau, Constance. Tu meurs comme on meurt à la fin du feuilleton des *Veillées des chaumières*. Noblement. Tout est en place. Nous voilà tous rangés autour de toi... »

Et soudain la respiration de Constance devint moins rauque. Ses paupières tombèrent...

— Mon Dieu! fit Mathilde.

Mais Rénégault s'avançait, tâtait le pouls.

— Curieux, dit-il. Elle s'endort. Laissons-la.

L'étonnement, presque la déception, se peignit sur le visage de dragée de Catherine. « C'est que je ne peux pas revenir ce soir... », murmura Mlle Calien. « Trois jours, vous verrez. Tout comme Sidonie... », rabâchait la concierge. Ils remettaient leurs manteaux, un à un. « Elle est coriace, la fille! » dit Serge en repassant la porte.

Pour moi, je m'attardais dans la cellule. Mon instinct ne m'avait pas trompé. Une belle fin!... Celle-ci, qui dormait peut-être, abritée sous ses paupières noires et fripées, n'était pas née pour d'aussi maigres satisfactions. Je ne fus pas étonné en trouvant sur ses lèvres une expression de dédain.

XL

Elle nous quitta seulement le lendemain matin, après
une nuit plus calme au cours de laquelle la fièvre était
tombée.

Mathilde, exténuée par ses veilles, avait sur mes
instances accepté de s'allonger pendant une heure. Personne n'était encore monté me tenir compagnie : cette
interminable agonie décourageait les bonnes volontés.
J'étais seul avec Claude près du lit de fer, quand je vis
s'ouvrir les yeux bleus. Fixes, sans doute paralysés, ils
regardaient l'enfant, parce que l'enfant se trouvait en
face d'eux. En même temps, la respiration de Constance
devint cahotante, s'allongea démesurément, resta pendant
des secondes suspendue, accrochée aux dents. Je n'eus
pas le temps de réveiller la tante. Un râle si profond
qu'il donnait l'impression d'avoir traversé tout le corps,
de ramener à la bouche tout ce qui lui restait de vie, se
termina par un hoquet qui pouvait aussi être un
demi-mot :

— Clau...

Je crus (et ce n'est, après tout, pas impossible) qu'elle
réclamait l'enfant. Empoignant Claude par le col, je le
mis sur ses pieds, puis je le lâchai, le laissant faire seul,
vers le lit, les deux ou trois pas dont il était capable. Il
oscilla, implorant son soutien habituel, se cramponnant à
ces yeux qui se ternissaient, qui s'éloignaient comme un

feu dans le brouillard. Il fit un pas, puis un second, avec difficulté. Il semblait perdre toute assurance. Il battit l'air de ses mains, il flageola... Et je compris que Constance était morte, quand l'enfant tomba sur les genoux.

TABLE

BRODARD ET TAUPIN — IMPRIMEUR - RELIEUR
Paris-Coulommiers. — France.
05.315-VII-12-104 - Dépôt légal n° 3293, 4ᵉ trimestre 1963.
LE LIVRE DE POCHE - 4, rue de Galliéra, Paris.

LE LIVRE DE POCHE

VOLUMES PARUS ET A PARAITRE
DANS LE 2e SEMESTRE 1963

JUILLET

JEAN DE LA VARENDE
Man' d'Arc.

JOHN STEINBECK
A l'Est d'Eden.

GILBERT CESBRON
Avoir été.

ROBERT BRASILLACH
Comme le temps passe.

STEFAN ZWEIG
Amok.

SEPTEMBRE

MORRIS WEST
L'Avocat du diable.

FRANÇOIS MAURIAC
Le Sagouin.

J. HASEK
Le Brave Soldat Chveik.

TENESSEE WILLIAMS
Un Tramway nommé Désir *suivi de*
La Chatte sur un toit brûlant.

JEAN ANOUILH
Colombe.

NOVEMBRE

HENRI BOSCO
Malicroix.

BORIS PASTERNAK
Le Docteur Jivago.

BLAISE CENDRARS
Rhum.

VICKI BAUM
Prenez garde aux biches.

GUY DE MAUPASSANT
Fort comme la mort.

ROMAIN ROLLAND
L'Ame enchantée (t. I).

AOUT

VIRGIL GHEORGHIU
La Seconde Chance.

MAZO DE LA ROCHE
La Naissance de Jalna.

JEAN GIRAUDOUX
Electre.

FRANÇOISE MALLET-JORRIS
Le Rempart des béguines.

PHILIPPE HÉRIAT
La Foire aux garçons.

MARC BLANCPAIN
La Femme d'Arnaud vient de
mourir.

OCTOBRE

ALPHONSE DAUDET
Contes du lundi.

JEAN GIONO
Le Chant du monde.

LAWRENCE DURREL
Balthazar.

FRANÇOIS MAURIAC
Le Baiser au lépreux.

DÉCEMBRE

ROMAIN ROLLAND
L'Ame enchantée (t. II).

FRANÇOISE SAGAN
Aimez-vous Brahms ?

PAUL VIALAR
La Rose de la mer.

AXEL MUNTHE
Le Livre de San Michele.

MALAPARTE
Le Soleil est aveugle.

PAUL CLAUDEL
L'Otage. Le Pain dur. Le Père
humilié.